KU-512-909

LE MONDE
TEL QU'IL EST

MICHEL LEGRIS

LE MONDE
TEL QU'IL EST

PLON

ISBN 2-259-000 39-8

AVANT-PROPOS

En vain, j'ai attendu qu'un autre traite le sujet que j'aborde aujourd'hui.

Je m'y suis donc résolu.

Ce livre n'est pas une thèse. Il ne prétend pas être exhaustif et encore moins clore un débat. Il vise à l'ouvrir. Il n'ambitionne pas de répondre à toutes les questions ; il invite chacun à se les poser, puis à les poser publiquement.

Ce livre est un acte. Sa nature est de ce fait hybride. Il tient du pamphlet et de la démonstration ; de l'essai et du recueil de notes mis à la disposition de l'historien. Il procède d'une révolte contre l'indifférence et la passivité lorsqu'elles se font complices de l'imposture. Il veut convier à réagir : affaire de salubrité, et, peut-être, de salut.

Pour entreprendre la tâche, j'étais au nombre des mieux et des moins bien placés. Mieux placé : j'ai appartenu pendant seize ans — de 1956 à 1972 — à la rédaction du Monde *; j'ai pu assister en témoin à son évolution et à son progressif et insidieux changement de nature ; j'en connais par le détail les ressorts et les* *rouages. Moins bien placé : j'ai aimé passionnément — aveuglément ? — ce journal ; j'ai cru aux valeurs dont il se réclamait et j'ai cru qu'il s'en réclamait sincèrement ; j'ai naïvement tenté de résister à la pente qui l'entraînait.*

Cette lutte discrète m'est apparue sans espoir, à la lumière d'une série d'événements connexes, dont l'un sera évoqué au chapire XII. Ils ont amené, en juillet 1972, mon départ du quotidien. Ils m'ont conduit à invoquer la rupture du contrat qui nous liait, lui et moi, et au plan social, et au plan moral, ce dernier m'obligeant à faire jouer la « clause de conscience ». Le Monde *n'a pas admis qu'un membre de son équipe lui demande de se plier aux usages de la profession : se mettant au-dessus de la profession, il se mettait au-dessus de ses usages. Un procès s'ensuivit. Je comptais qu'il serait achevé au moment de la parution du présent travail. Les aléas de la procédure font que ce n'est pas le cas. Je le ressens comme un inconvénient : d'aucuns, prompts à juger, concluront que, derrière ce livre, perce une querelle personnelle, et que celle-ci exclut une grande querelle. Comment les convaincre du contraire ? Mais surtout : à quoi bon ?*

Cependant, j'inviterai à deux considérations.

Il m'eût peut-être été loisible, à condition de céder à la lâcheté et d'accepter la disqualification professionnelle, de poursuivre, pendant un certain temps, une existence matérielle confortable rue des Italiens. Pourquoi ne l'ai-je pas fait ?

En second lieu, j'ai agi en homme seul. A l'ouverture du conflit, je me suis abstenu de l'alimenter d'échos. Rédigeant ces pages, je n'ai pas cherché de puissants appuis. Quelques amis m'ont encouragé ou aidé de leurs avis.

Il me reste à répondre à une dernière question. Au nom de quoi ai-je écrit ? J'ai confiance qu'un certain nombre de paragraphes disséminés au fil des chapitres permettront d'entrevoir assez clairement mes mobiles :

une certaine idée de l'information, du journalisme, de l'honnêteté et de la liberté intellectuelles — de l'honnêteté et de la liberté tout court. Je n'ai pas insisté davantage sur ces points. Mon goût n'est pas de donner des leçons et mon tempérament me porte plus à l'ironie qu'au ton magistral.

J'ai pourtant eu des maîtres. A plusieurs niveaux. Les uns m'ont enseigné les sentiers secrets, les Holzwege *de la conscience ; les autres, le savoir ; les autres, mon métier. D'autres enfin, vivants ou morts, la beauté du courage.*

A ce titre, depuis toujours, un article que Chateaubriand fit paraître en 1807 dans le Mercure *a suscité mon admiration et mon respect. Bien que l'évocation de l'auteur et de ses références soit ici déplacée dans la mesure où elle est hors de toute proportion avec mon entreprise — je dois en citer un fragment :*

« Lorsque dans le silence de l'abjection, l'on n'entend plus retentir que la chaîne de l'esclave et la voix du délateur ; lorsque tout tremble devant le tyran et qu'il est aussi dangereux d'encourir sa faveur que de mériter sa disgrâce, l'historien paraît chargé de la vengeance des peuples. C'est en vain que Néron prospère ; Tacite est déjà né dans l'empire ; il croît inconnu auprès des cendres de Germanicus et déjà l'intègre Providence a livré à un enfant obscur la gloire du maître du monde. »

Chapitre premier

DES ORPHELINS PERDUS DANS UN TERRAIN VAGUE

Le tirage moyen du *Monde* s'établit entre 500 000 et 600 000 exemplaires : il peut atteindre exceptionnellement 800 000 et aller encore au-delà à l'occasion d'un événement important. Cette montée en flèche dans les instants d'inquiétude ou de passion traduit l'existence d'un réflexe bien ancré chez les lecteurs occasionnels ou même dans l'opinion : *le Monde* est un journal sérieux, honnête, bien informé et objectif.

C'est d'ailleurs cette réputation qui, depuis sa création, par Hubert Beuve-Méry, à la fin de 1944, a fait peu à peu son succès. Et il ne manque jamais de s'en prévaloir.

Tout, apparemment, lui donne raison d'arborer semblable attitude. La manchette du journal mentionne toujours : « Fondateur : Hubert Beuve-Méry », au pied du titre en caractères gothiques. Aucune modification ni dans l'intention, ni dans les buts, ni dans le style ne semble être intervenue depuis qu'un nouveau directeur a pris sa succession, à la fin de 1969.

Et rien dans la façade n'autorise à affirmer qu'il pourrait en être autrement. Le journal, comme par le passé, reproduit les débats du Parlement, l'intégralité des allocutions du président de la République, les déclarations des hommes politiques, des conférences de presse, les discours de réception à l'Académie française, de même que les cours de la Bourse, les décrets du *Journal Officiel* et les promotions dans l'ordre de la Légion d'honneur. Il accueille des « libres opinions » venues d'horizons opposés. Tout événement de quelque dimension est mentionné dans ses colonnes. Qu'un débat, grand ou petit, agite l'opinion publique, les diverses prises de position y trouveront un écho. *Le Monde* se donne même la coquetterie, lorsqu'il est pris en défaut, de faire paraître de son propre mouvement des *errata* ou la lettre du lecteur qui exprime son désaccord.

En dépit de ces mérites affichés, proclamés, on a assisté depuis quelque temps à l'apparition en France d'un nouveau malaise, faisant suite à ceux de l'armée, de la justice, de la police ou des lycéens de sixième, dont *le Monde* se montre friand mais dont, cette fois, il s'est bien gardé de parler : le malaise du lecteur du *Monde.*

Certes, ce malaise-là n'est pas également partagé par tous. Il n'atteint guère cette partie des cadres qui déploient *le Monde* avec ostentation comme un brevet de standing intellectuel. Il n'effleure pas non plus les demi-instruits qui le tiennent à la main comme ils porteraient à la boutonnière un badge dans un congrès. Il n'affecte pas davantage la frange de la jeunesse, au sein de laquelle le journal a particulièrement recruté depuis 1968 et qui le dévore avec l'ardeur des néophytes. Il épargne enfin la cohorte des idéologues qui mettent à sa lecture quotidienne la même piété et la même constance que, jadis, les curés à celle de leur bréviaire.

Le malaise frappe au premier chef dans les rangs des anciens abonnés qui, dans les années difficiles, avaient témoigné au *Monde* une fidélité à toute épreuve, en consentant parfois de réels sacrifices financiers pour soutenir un journal dont ils reconnaissaient la bonne foi sans partager nécessairement toutes ses vues. Ils puisaient en effet dans la lecture du *Monde* les éléments nécessaires à la formation de leur opinion personnelle.

Ce malaise a pour première caractéristique de demeurer insaisissable et indéfinissable. Non qu'il ne s'exprime jamais : « *Le Monde* n'est plus ce qu'il était au temps d'Hubert Beuve-Méry », constatent les uns. « Même *le Monde* imprime des sottises et déforme tendancieusement les faits », déplorent les autres, avec un mélange de stupéfaction et de résignation. Un petit nombre s'irrite plus carrément : « Pourquoi *le Monde* n'annonce-t-il pas la couleur ? Pourquoi veut-il encore conserver sa réputation d'impartialité ? N'y a-t-il pas là de l'imposture et même, pour parler en termes de droit commercial, tromperie sur la marchandise?» Mais ce ne sont là que propos de table, dont la portée ne dépasse guère la durée d'un dîner. Et, surtout, rares sont les convives en mesure de préciser leurs griefs. Il arrive même qu'un désaccord surgisse entre eux. Ceux qui énoncent des cas patents d'erreur ou de mauvaise foi ne font pas nécessairement bonne figure : à dépister des mesquineries et des sournoiseries on finit par susciter le soupçon qu'on est soi-même mesquin et sournois. « Vous exagérez », protestent alors parfois les premiers détracteurs qui se montrent aussi logiques qu'illogiques avec eux-mêmes : logiques car ils font preuve de l'esprit de mesure et de recul qui est le fond de leur caractère ; illogiques, car ils oublient que c'est précisément mus par cet esprit-là qu'ils en étaient venus à leur opinion initiale défavorable sur *le Monde*. Il suffit qu'intervienne un admirateur inconditionnel du journal et qu'il sache remonter le courant avec la cautèle des bons avocats : « Vous reconnaîtrez, dira-t-il, que *le Monde* a l'avantage d'être financièrement indépendant ; qu'il est, de ce fait, libre vis-à-vis du pouvoir et, partant, de tous les groupes de pression. Vous admettrez aussi qu'il a le mérite d'être unique en son genre. Vous en conviendrez d'autant plus aisément que, malgré que vous en ayez, vous continuez de le lire, de désirer qu'on y parle de vous, d'y faire publier vos libres opinions et, le cas échéant, vos annonces. »

Le plaidoyer laisse souvent sans réplique : de quoi les mécontents viennent-ils se plaindre ? Le défenseur alors a beau jeu d'ajouter : « Vos critiques ne portent que sur des points de détail. C'est l'ensemble qu'il faut juger. Or les défauts que vous dénoncez ne sauraient faire oublier les autres mérites du journal : les longs documents qu'il publie, la place qu'il réserve aux communiqués de tous genres, les principes moraux qu'il défend, son respect des lecteurs, en un mot sa qualité. » Au bout du compte, ce sont les détracteurs du *Monde* qui finissent par être convaincus de partialité et de mauvaise foi. A l'embarras de n'avoir pas su mieux exprimer leurs griefs succède chez eux le doute et l'autocritique : ne seraient-ils pas eux-mêmes des esprits faux et malveillants, incapables de percevoir la réalité sans la déformer ?

Un autre phénomène social contribue à laisser dans son flou le malaise des lecteurs du *Monde.* Il tient à l'isolement que l'époque impose aux individus et à l'excessive spécialisation de chaque discipline. Le témoin ou l'acteur d'un événement déformé par *le Monde* aura tendance à incriminer la malchance : « Pour une fois que *le Monde* commet une erreur il faut que cela tombe sur moi ! » Il ne songera pas un instant à mettre en cause l'image qu'il s'est faite du journal, le mythe qu'il voit tant de gens vénérer autour de lui. Et il continuera d'accorder le même crédit qu'auparavant à l'article qui, dans la colonne voisine, n'est pas plus inattaquable que celui qu'il vient de lire. L'attitude des professionnels est tout aussi passive. Lorsqu'un magistrat ou un avocat perçoit les sophismes juridiques du *Monde,* il exprime son regret des temps où les questions judiciaires étaient traitées par un journaliste intègre et compétent qui avait su s'attirer un respect unanime et mérité. Et de se lamenter : « Ah ! quel dommage que les questions qui nous concernent soient aujourd'hui l'objet de tant de désinvolture, de tant de légèreté, quand ce n'est pas de malveillance systématique... » La formulation du regret sous-entend qu'ils se considèrent comme les seules victimes et qu'ils ne renoncent pas à puiser dans le même organe des éléments d'appréciation et de jugement en matière d'enseignement, d'économie, de médecine, de littérature ou encore sur le Moyen-Orient ou sur la Chine. Ils n'entendent pas, ces malheureux, les soupirs d'autrui ! Il est vrai que ces soupirs sont, à leur tour, confinés à l'intérieur de quelque chapelle. « Ah ! quel dommage que *le Monde* fasse preuve d'autant d'apriorisme », gémissent, chacun dans son coin, l'enseignant, l'économiste, le médecin, l'artiste, le bon connaisseur du Moyen-Orient ou le sinologue averti. Le malaise des lecteurs du *Monde* est d'abord un malaise d'orphelins perdus dans un terrain vague.

Celui que la lecture du journal incommode aura tendance, après un scrupuleux examen de conscience, à se demander s'il ne souffre pas d'un mal imaginaire. Il va se persuader ou se laisser persuader que son trouble n'est dû qu'à sa propre défaillance. La nausée qu'il éprouve, s'entendra-t-il dire, est due à l'abondance et à la richesse du menu qu'on lui propose : abondance et richesse qui font précisément toute la valeur du *Monde* et lui permettent de trouver audience auprès de tous les publics. Car le temps n'est plus où il se proclamait « le journal qui est lu et non parcouru ». Aujourd'hui, il offre à chacun de choisir à la carte sa pâture d'informations quotidiennes.

Il se peut aussi que le lecteur ne parvienne pas à digérer ces rangées de colonnes compactes. S'il est incapable d'apprécier la densité de la pensée et la solidité de l'analyse, qu'il ne s'en prenne, le frivole, qu'à lui-même.

Est-il saisi de vertige alors qu'il plonge, paragraphe

après paragraphe, dans un abîme de commentaires ? Il aurait tort de croire qu'il s'agit de l'effet du vide. Ce ne saurait être que celui de l'infini. Ingrat ignorant, à qui l'on offrait la chance de se prendre pour Pascal et qui ne savait pas en profiter...

Le Monde sait du reste fort bien traiter le malaise de ses lecteurs, et se prémunir contre le danger de contamination. Le premier remède consiste à nier en bloc son existence. S'il est inopérant, il reste la ressource de minimiser son étendue : ce ne sont que des cas isolés, des accès temporaires. La méthode est généralement efficace, puisque les gens atteints n'ont jamais eu l'idée de se réunir en congrès et que le temps leur apporte une résignation qui ressemble à la guérison. S'il demeure ici ou là quelques rebelles à ce traitement en douceur, ils ne représentent plus de danger : ils sont repérés, dépistés, déclarés pestiférés et mis en quarantaine. Si cependant, un jour, le malaise des lecteurs risque de prendre la proportion d'une épidémie, *le Monde* a tôt fait de dénoncer les responsables : des ligueurs, une conjuration d'intérêts, une main traîtresse venue verser le poison du doute dans les eaux pures du puits de vérité, — à moins qu'il ne s'agisse du geste d'un égaré ou d'un fou. L'imprudent, l'impudent Georges Suffert, directeur-adjoint du *Point*, offre-t-il, en publiant *les Intellectuels en chaise longue*, la menace d'une contagion ? Il est aussitôt vertement remis à sa juste place : un gros microbe.

Médecin de sa réputation, mieux que de son honneur, *le Monde* s'estime parfois obligé de recourir aux grands moyens. On voit alors son directeur troquer la sévère robe noire de M. Purgon contre le vêtement de probité candide et de lin blanc, patiemment tissé au temps d'Hubert Beuve-Méry et sorti pour la circonstance du placard. Ainsi travesti en vestale, juché au haut d'une pile d'un demi-million d'exemplaires, le directeur du *Monde* entonne, avec une aigreur dans les aigus compensée par de nobles trémolos dans les basses, le grand air du journal. Les lecteurs sont invités à former leurs bataillons pour défendre la vierge outragée ou menacée. C'est une lutte décisive, à défaut de la lutte finale. Les vertus de la vierge sont énumérées : celle-ci cependant bat sa coulpe pour montrer sa piété tout en se défendant d'avoir jamais commis de péchés, hormis des véniels dont elle s'est toujours confessée le lendemain. Elle met au défi quiconque d'oser se flatter d'avoir jamais eu définitivement ses faveurs. Certes, elle a été courtisée, mais elle n'a jamais embrassé que de justes causes. Elle se déclare victime de la jalousie. Elle dénonce ses calomniateurs, des esprits chagrins qui lui reprochent d'aller avec son temps et de mettre du rouge à lèvres. Elle invite toutes les autres filles, ses consœurs, bien qu'elles soient moins jolies, moins pures, moins intelligentes, moins racées qu'elle, à se joindre au chœur. Elle leur démontre que, sans elle, elles ne sauraient plus où puiser l'inspiration et la matière de leurs humbles comptines. Pour achever de les entraîner, elle brandit gaillardement le drapeau de la liberté de la presse avant de s'affaler languissamment en s'écriant : « Et toi, vertu, pleure, si je meurs. »

Ces couplets, à peu près aussi invariables qu'un disque, et qu'il ne coûterait ni grande fatigue ni gros frais de diffuser tous les jours, restent cependant réservés aux occasions solennelles. Les branle-bas de combat, les appels héroïques, les articles hygiéniques comptent moins que la prophylaxie de routine. Lorsque la méthode Coué échoue à persuader le lecteur qu'il est victime d'un trouble imaginaire, lorsqu'en le cajolant un peu on ne l'a pas persuadé qu'il va mieux, lorsqu'en montrant les gros yeux à cet enfant gâté on n'a pas réussi à faire cesser son caprice, la prophylaxie de routine offre encore la ressource de lui faire honte de son ingratitude après toute la peine qu'on se donne pour lui. *Le Monde,* soit, trouve des contempteurs dans tous les milieux, au sein de toutes les professions, dans les rangs de tous les partis. Mais n'est-ce pas la preuve de son objectivité ? Les reproches qui montent vers lui, loin de l'atteindre, ne doivent que contribuer à rehausser le piédestal où le destin l'a hissé : les vagues s'y brisent ; aucune parcelle d'écume ne saurait l'éclabousser ; et si le contraire survenait, ce ne pourrait être qu'un crachat sacrilège. De même, le lecteur récalcitrant est convié à admettre que *le Monde* n'a que les défauts de ses qualités. Trop de passion imprègne-t-elle certains articles ? C'est la passion de la vérité et de la justice : un signe de jeunesse et de fraîcheur ; un saint appétit d'éveiller les âmes. Un jugement trop sommaire, une information trop approximative ont-ils été publiés ? Il convient d'être compréhensif et de tenir compte des difficultés inhérentes au métier de journaliste : manque de temps, hâte imposée par l'horaire des éditions.

Seul le souci d'accomplir la mission dévolue au journal est en cause et non point une intention maligne.

Le lecteur qui recherche les causes de son malaise a dès lors de plus en plus de mal à percer le rideau de fumée, aux mouvantes volutes, qu'il voit dressé devant ses regards. Le franchit-il ? C'est pour s'enfoncer encore dans des décors en trompe-l'œil, qui s'escamotent à mesure qu'il avance. Jamais il n'aura la certitude que les fenêtres sont de fausses fenêtres et que les colonnes du temple sont en faux marbre.

Et, pourtant, ce malaise qu'on tient pour indéfinissable et insaisissable, l'est-il autant qu'il y paraît ? A-t-il raison, l'infortuné lecteur, de s'en prendre à lui-même s'il est incapable d'en trouver la source et les causes ? Est-il fondé à ne pas aller au-delà de l'irritation diffuse qu'il éprouve chaque fois que le journal le force à suivre des raisonnements devant lesquels sa conviction demeure rétive ? Et, surtout, a-t-il le droit moral de consentir à demeurer aveuglé plus longtemps ? Pourra-t-il continuer de se réclamer de la cohérence et de l'honnêteté intellectuelle s'il n'entreprend pas de se dessiller les yeux lui-même ?

La tâche, il est vrai, est ardue.

CHAPITRE II

OBJECTIVITE D'INTENTION ET OBJECTIVITE D'APPARENCE

Avant d'aller plus loin, le lecteur du *Monde* doit s'exercer à distinguer entre une véritable intention d'objectivité et une objectivité d'apparence. La première se propose d'abord de connaître les événements, les faits, les hommes, les idées, et ne porte qu'ensuite un jugement sur eux.

La seconde comporte un jugement préétabli, mais se garde bien de le faire savoir : c'est presque sans avoir l'air d'y toucher qu'elle va y soumettre les événements, les idées et les hommes. L'une a pour but d'éclairer les esprits, l'autre de les orienter. La frontière qui les sépare est de celles qui délimitent l'observation scientifique et le pseudo-scientisme, l'étude et le prosélytisme feutré.

Certes, l'intention d'objectivité en matière de presse rencontre de nombreux obstacles. Dans la masse innombrable des faits, il faut opérer un tri, faute de pouvoir donner place à tout. Chaque événement, pour la même raison, doit à son tour peu ou prou subir l'amputation de quelques-uns de ses détails. D'autre part ces faits et ces événements, tels qu'ils se sont offerts au regard des observateurs, comportent des lacunes, des zones d'ombre ou de mystère. L'intention d'objectivité consiste à pratiquer le tri et les amputations inévitables sans trop fausser ni la perspective ni les proportions, à chercher à combler les lacunes et à éclairer les zones d'ombre avec prudence et rigueur. La démarche intellectuelle du journaliste s'apparente, toutes proportions gardées, à celle du scientifique.

Interdisant la passion partisane, l'intention d'objectivité n'exclut cependant ni le style, ni la clarté, ni les jugements de valeur : mais, avec elle, le style ne brille pas aux dépens de l'exactitude, la clarté n'est pas le fruit de la simplification sommaire, les valeurs au nom desquelles les jugements sont prononcés se donnent pour ce qu'elles sont. Avec elle, encore, la signature de l'auteur n'est pas seulement vaine gloriole, mais aussi marque d'humilité. L'auteur n'affirme pas alors triomphalement : « C'est moi qui le dis », mais aussi : « Ce n'est que moi qui le dis et qui décris ce que j'ai vu de mes propres yeux en les tournant dans toutes les directions possibles. »

L'objectivité d'apparence a pour effet d'influencer clandestinement la conscience des lecteurs. La servitude naturelle qui pèse sur toute presse — tri des informations, nécessité de l'amputation de détails — va, tout d'un coup, curieusement être invoquée à titre réversible. Elle sert à parer au reproche d'omission ou de simplification exagérée : les exigences de la mise en page, avec les coupes qu'elle entraîne, l'obligation de faire un choix des principaux titres, que chacun dans la profession connaît bien, sont citées comme arguments définitifs et universels — alors qu'ils s'agit tout simplement d'autocensure instinctive ou de censure délibérée.

Mais des lecteurs émettent-ils le regret qu'une information douteuse, que des allégations fausses, qu'un communiqué diffamatoire aient été publiés ? Cette fois, le désir d'échapper aux servitudes matérielles est mis en avant ; de quel droit aurait-on amputé et procédé à un tri ? N'est-il pas de fait que l'information douteuse circule ? Que les allégations fausses ont été proférées par un homme qui en a pris la responsabilité comme le prouvent les guillemets ? Que le communiqué dont on n'avait plus, dès lors, à se préoccuper de savoir s'il est diffamatoire, a été diffusé ? N'aurait-ce pas été manquer à l'objectivité de ne pas mentionner un tel fait ?

Cependant, ce n'est encore là que l'outil le plus grossier de l'objectivité d'apparence. Celle-ci, pour atteindre ses fins, compte bien davantage sur un autre moyen : programmer, de façon détournée, la sélection que le lecteur va être conduit à opérer au sein du flot d'informations qui lui est quotidiennement livré puisqu'il ne saurait ni tout lire ni tout retenir.

Cette sélection-là dépend moins de l'intellect que de l'affectivité, moins de la pensée consciente que de l'influence inconsciemment subie. Ce qui, au bout du compte, se retire d'un article est une impression générale, un jugement d'ensemble. L'artifice va alors consister à donner insidieusement plus de force à certains arguments qu'à d'autres, plus de place à certains aspects de la réalité — et à essaimer, ici ou là, des insinuations furtives, des sophismes dissimulés agissant, pour l'orientation de la pensée, à peu près comme ces écueils enfouis à fleur d'eau, qui, bien qu'invisibles, infléchissent la direction du courant.

Les procédés mis en œuvre varient. Dans le style, ce sera parfois l'introduction d'une simple proposition subordonnée, presque une incidente, qui suffira à colorer tout l'article — par ailleurs d'allure sereine et modérée. Ce sera encore l'usage d'un mot ambigu, d'une formule à double sens.

Les ressources de la mise en page sont encore plus grandes. Puisqu'un petit encadré attire mieux l'œil qu'un long récit, il suffira de le juxtaposer à ce dernier pour ruiner l'effet des informations qu'il contient.

L'effet sera encore mieux assuré si, au lieu de l'encadré, on place un dessin artistement caustique. L'usage des guillemets se montre aussi d'un grand secours. Tantôt ceux-ci peuvent servir à entourer d'une espèce de suspicion, à entacher de relativité les propos rapportés ; tantôt, ils peuvent leur conférer une aura d'authenticité. Qui prendra garde alors aux quelques points de suspension qui indiquent une coupe... ? Et qui se doutera que cette coupe a quelquefois concerné le passage le plus indispensable à l'articulation de la pensée ? La mise en page permet encore les voisinages pleins de fausse ingénuité : les faits exacts sont rapportés mais leur version truquée (favorable à la partie qu'on entend soutenir) figure à leur côté et est mise à peu près sur le même plan. Il y a encore ces parenthèses en caractères gras au bas d'un entrefilet : nommés « six crochets » en termes techniques, ils présentent très péremptoirement le jugement de la rédaction. Le recul et la hauteur qu'ils affectent (et qui s'efforcent d'imiter le ton d'un magistrat prononçant une sentence) interdisent de mettre en doute la sérénité du juge qui l'a prononcée, l'universalité des valeurs morales auxquelles il se réfère.

Dans les raisonnements, dans les commentaires, c'est d'une autre gamme de moyens que l'on va jouer : fausses symétries ; arguments spécieux présentés comme des évidences ; oubli du passé des uns, rappel de celui des autres, qu'il s'agisse de personnes, de partis ou de pays ; ou plus commodément encore, brouillamini au terme duquel le lecteur sera trop heureux de se précipiter sur la phrase finale qui aura le mérite d'être claire et d'assener la conclusion que l'on voulait imposer.

L'étude de l'objectivité d'apparence, en outre, ne doit pas se borner à l'examen d'articles isolés, ni même au contenu d'un seul numéro du journal, pour y comptabiliser les déséquilibres : elle doit s'étendre d'un numéro à l'autre. Elle conduira à découvrir que les distorsions ne sont ni continues ni constantes en intensité. Un jour, elles sont presque absentes ; un autre jour, elles sont infiniment plus faibles que la veille. Le procédé contribue efficacement à sauvegarder l'apparence d'objectivité.

Cependant, il ne parvient pas à dissimuler toutes les supercheries. L'une se révèle au travers de la statistique : lorsque le journal se targue de n'avoir rien tu, d'avoir fait accueil à toutes les opinions, à toutes les versions, à tous les faits, il convient de se demander combien de fois ceux qui allaient dans un sens ont été répétés et ressassés alors que ceux qui allaient dans le sens opposé ont été, en tout et pour tout, et une fois pour toutes, mentionnés. D'autre part, il sera utile de regarder si les rectificatifs qui fleurissent après la diffusion d'une nouvelle ne font pas illusion et si ce n'est pas à tort qu'ils se donnent pour des garanties d'intégrité intellectuelle : puisque le démenti efface rarement l'effet de choc produit par l'information qui en fait l'objet, il importe de considérer si ces effets de choc n'apparaissent pas, eux aussi, régulièrement, au service des mêmes causes, des mêmes idées, des mêmes gens.

CHAPITRE III

NOUVELLES EXEMPLAIRES

Muni de quelques mises en garde, celui à qui la lecture du *Monde* a commencé d'inspirer un malaise va se trouver en mesure de mieux s'interroger. Devant ses souvenirs d'un passé désormais lointain, il conclura, sans trop de mal, que *le Monde,* tel que l'avait conçu Hubert Beuve-Méry, était un journal répondant à l'intention d'objectivité, avec les limites, cela va de soi, que toute intention semblable rencontre. En ira-t-il de même lorsqu'il rassemblera les impressions éparses que *le Monde,* dirigé par le successeur d'Hubert Beuve-Méry, a laissées en lui ? Sera-t-il enclin à estimer que le journal n'a, au fond, pas changé de manière depuis ? Sera-t-il, au contraire, porté à se dire qu'on y découvre beaucoup des traits de l'objectivité d'apparence ?

Une série de brefs exemples, glanés au fil des jours, aideront peut-être à le mettre sur la voie.

Le Monde du 14 juin 1975 annonce : « En marge des conflits du *Parisien Libéré* deux attentats sont commis aux domiciles de M. Bergeron et d'un rédacteur en chef de l'AFP ». Point de mention dans ce titre de « une », sur deux colonnes, des blessures du journaliste Bernard Cabanes qui mourra le lendemain. Le quotidien en revanche indique en gros caractères que « la Fédération CGT du Livre manifeste sa réprobation ». L'important pour le journal est donc de souligner que les attentats ont eu lieu « en marge » des conflits du *Parisien Libéré,* dans lequel il a pris position pour le Syndicat du Livre contre M. Emilien Amaury. Ce n'est que page 26 qu'il est annoncé que M. Cabanes est « grièvement blessé dans un attentat », et qu'un sous-titre est consacré à un aspect capital de l'affaire : « Cet acte visait son homonyme rédacteur en chef au *Parisien Libéré.* » Cet « acte » ? Le mot est d'une parfaite neutralité, il exclut toute référence à l'idée de meurtre ou de crime. Mais ce n'est peut-être pas par hasard qu'elle a été écartée...

Revenons en effet à la « une » qui informe si mal et si incomplètement le lecteur. Tout est mis en œuvre pour l'empêcher de percevoir une juste impression d'ensemble. Non seulement le chapeau, après avoir émis doctement l'avis que les deux attentats sont « criminels et condamnables », met la sourdine en oubliant de dire qu'il s'agit d'attentats à la dynamite et que M. Bernard Cabanes a été blessé. Il fait état d'autres blessés — à Poissy, aux usines Simca-Chrysler : « Des militants de la CFT ont attaqué des militants de la CGT qui distribuaient des tracts. Deux personnes ont été blessées. » En outre, un drame est étrangement associé aux explosions qui ont eu lieu : le suicide par le feu, à Pau, d'un jeune militant « mystique » d'extrême gauche dans lequel *le Monde* voit « un drame provoqué » par « l'agitation en Euzkadi et les remous qu'elle suscite de ce côté-ci de la frontière ». Pour tirer profit du rapprochement, un surtitre coiffe l'ensemble : « Les tentations de la violence ». Or, mettre sur le même plan la violence qu'un individu dirige contre lui-même, la violence qui oppose des syndicalistes (où les agressés sont généralement en mesure de se défendre) et la violence qui consiste à mettre de nuit, par surprise, une bombe devant une porte, au mépris du risque de tuer, crée une confusion que la mise en page accentue. On convie le lecteur à considérer que c'est bien plus la violence, la violence en soi, qui est coupable que ceux qui ont manié les explosifs : ils ont été poussés par la violence. La suggestion a d'autant plus de force qu'elle apparaît sous le couvert d'un pieux moralisme : « Les *tentations* de la violence ». Ne dirait-on pas que les meurtriers du journaliste s'en sont tenus à la tentation, y ont résisté méritoirement et ne sont pas allés à l'exécution ?

Le plus fieffé défenseur du journal soutiendra-t-il qu'il ne s'agit là que de coïncidences involontaires, d'omissions dues aux servitudes professionnelles, de l'emploi innocent de termes choisis à la hâte ? Plaidera-t-il qu'il ne faut pas céder au procès d'intention ? Mais pourquoi la part réservée dans le corps du journal (pages 26 et 27) au reportage et aux faits proprement dits est-elle si modeste (11 lignes pour les dégâts chez André Bergeron), en dépit d'un titre étiré sur quatre colonnes ? Pourquoi le quotidien accueille-t-il si largement et si exclusivement des « réactions » d'organisations syndicales dénonçant dans les attentats une « provocation » et suggérant qu'elle est d'origine « fasciste » ou que « le gouvernement en porte la responsabilité essentielle » ? Pourquoi le journal, le lendemain, met-il en valeur un propos du ministre de l'Intérieur qui dédouane moralement le syndicat du Livre et pourquoi laisse-t-il dans la grisaille du corps de l'article l'essentiel de sa pensée : « Ce type de violence me semble davantage de caractère gauchiste. » Mais, surtout, pourquoi, dans un organe qui n'est pas avare d'indignation, tant de mollesse dans la réprobation du crime ? Pas d'éditorial, jailli immédiatement d'une plume vibrante d'horreur, pas même de « six crochets » féroces. Un éloge mérité de la victime, Bernard Cabanes, dans le numéro daté des 15-16 juin : ce sera tout[1]. *Le Monde* déplorera que le Bernard Cabanes de l'AFP ait été « victime d'une erreur causée par une homonymie ». Il n'aura pas un mot pour dire ce qu'il aurait été convenable de penser au cas où l'erreur n'aurait pas eu lieu et où le Bernard Cabanes du *Parisien Libéré* aurait été atteint[2]...

***

Deux semaines plus tard (numéros des 29-30 juin 1975), dans un domaine voisin, nouveau titre digne d'intérêt :

> « Lors d'une enquête au Quartier latin, des inconnus tuent deux inspecteurs et blessent un commissaire. Il s'agirait de « terroristes » sud-américains. »

A quoi riment les guillemets qui encadrent le mot « terroristes » ? Sont-ils là pour indiquer que la certitude qu'on a affaire à des terroristes n'est pas établie ? Le conditionnel y suffit. Alors, que signifient-ils, sinon qu'il s'agit de terroristes à part : non parce qu'ils sont sud-américains mais parce qu'ils se livrent à un terro-

---

1. On comparera cette modestie avec la fermeté de la réprobation qui se manifesta — Jean d'Ormesson, du *Figaro*, en tête — lors de l'explosion d'une bombe, en juillet 1975, devant la porte de l'appartement de Jacques Fauvet. Réprobation à laquelle, sans équivoque, le signataire du présent livre souscrit totalement. Le combat des idées, fût-il impitoyable, ne doit pas cesser d'être un combat civil : il ne doit jamais relever de la guerre civile.

2. Je ne connais pas Bernard Cabanes du *Parisien Libéré*. J'ai fort peu d'estime pour le mode et le style d'information pratiqué par ce quotidien. Je m'en tiens à un principe élémentaire qui veut qu'il n'y ait pas deux poids deux mesures en matière de condamnation de la violence.

risme qui ne doit pas hâtivement entraîner une appréciation péjorative ? Le reste de l'article laisse supposer qu'ils sont des révolutionnaires...

⁂

Autre détail, illustrant la complaisance du journal pour le gauchisme. En annonçant et en rendant compte du procès de l'Algérien Mohammed Laïd Moussa [1] pour lequel il manifeste de la sympathie, il laisse dans le vague le portrait de ceux avec qui il s'est affronté dans une bagarre qui a mal tourné : « des marginaux » note-t-il. Or qui sont ces marginaux dont l'un, Michel Balozian, a été tué par Laïd Moussa ? Jacques Derogy, dans *l'Express*, saura, lui, sortir de l'imprécision où s'est complu le quotidien de la rue des Italiens : « Des jeunes émules de Katangais de la Sorbonne, vivant d'expédients et se réclamant vaguement de l'idéologie révolutionnaire qui fut à la base des événements de 1968 : des situationnistes [2]... » Bien mieux : le compte rendu d'audience du *Monde* se terminera par un clin d'œil aux gauchistes. Un des « marginaux » blessé dans la bagarre (mais légèrement), ayant été appelé à la barre, on lit :

> « Une des victimes, Jean-Marie Bauduin, cité comme témoin de l'accusation, c'est-à-dire par l'avocat général, refusa de prêter serment :
>
> « Qu'est-ce que la vérité ? dit-il. La vérité, c'est moi ; je veux bien jurer d'être moi-même. » Puis,

1. Numéros des 11 et 14 mars 1975. Mohammed Laïd Moussa instituteur algérien, travaillant comme ouvrier à Fos pour poursuivre des études en France. Exaspéré par le tapage nocturne constant d'un groupe de voisins, il était allé protester. Insulté, malmené, battu il avait tiré un couteau de sa poche et tué un de ses adversaires Michel Balozian. La cour d'assises des Bouches-du-Rhône le condamna à 3 ans de prison dont 18 mois avec sursis. La prévention couvrait la peine ferme. Il fut aussitôt libéré, mais assassiné quelques jours plus tard.

2. *L'Express*, 21-27 avril 1975.

agacé d'être admonesté par tous, il s'écriera — regardant la Cour ce qui est, paraît-il, une circonstance aggravante — : « La justice, c'est de la merde ». Victime de coups de couteau, Jean-Marie Bauduin se retrouvait, paradoxalement, incarcéré pour offense à magistrats, au moment même où allait être libéré Laïd Moussa.

« La Société se retrouvait. Le commissaire Philippe Pelbois, lors de son témoignage, n'avait-il pas affirmé, ce que personne ne lui demandait : « Tout ça, ce sont des gens douteux. »

C'est un comble : après avoir souhaité l'indulgence pour l'Algérien, *le Monde* décrie la juridiction qui l'accorde, sous prétexte qu'elle n'a pas été capable de supporter qu'on l'insulte ; puis, conséquemment, il laisse percer son mépris pour la « société » qu'elle représentait et qui se « retrouvait ».

Le comble ? Mais non, ce n'est pas le comble. Tout ce qui précède laisse entrevoir comment le journal gomme les réalités qui l'embarrassent (un affrontement entre un travailleur émigré et un gauchiste détruit les commodes schémas manichéens) — et comment il obnubile la conscience du lecteur. La suite donne l'occasion de découvrir comment *le Monde* interprète les faits à son gré. Mohammed Laïd Moussa, après avoir été libéré, est assassiné. L'opinion, légitimement, s'indigne. Elle pense au crime raciste. Une thèse qu'appuie de prime abord Michel Poniatowski, ministre d'Etat, ministre de l'Intérieur ; mais une thèse qui n'est pas certaine, si l'on entend que ce racisme émane des milieux qui en sont habituellement taxés, car il se peut aussi que l'Algérien soit tombé sous les coups et la vengeance d'amis des gauchistes marseillais. Mais *le Monde* entretiendra le plus possible l'équivoque. Un individu emprisonné à Marseille, Joseph Grima, a adressé des menaces de mort anonymes aux avocats de Laïd Moussa et à un médecin, le docteur Gérard Bonneville, qui l'avait accueilli après son élargissement[1]. Une expertise graphologique l'a démasqué. *Le Monde* titre : « L'auteur des lettres de menaces est un jeune rapatrié détenu aux Baumettes[2]. » Qui ne conclurait d'un premier mouvement que Joseph Grima, puisqu'il est *rapatrié,* a partie liée avec les anciens pieds-noirs ? Et qui s'appesantira autant sur la fin de l'article : « Les policiers ont également pu établir que Joseph Grima connaissait Michel Balozian, mortellement blessé par Mohammed Moussa, et Ali Meliani, dit Cox, témoin numéro un du meurtre de Mohammed Moussa et qui reste introuvable. » Qui devinera ou se rappellera l'existence du groupe gauchiste ? Qui s'avisera de l'étroitesse des liens de Joseph Grima avec ce dernier quand il est seulement dit qu'il en « connaissait » les membres[3] ?

Ainsi un titre, une imprécision, une omission parviennent-ils à modifier du tout au tout la signification d'une information...

⁂

Abordons un autre domaine.

Le 3 juillet 1975, *le Monde* publie un billet commençant en ces termes. « Alexandre Soljénitsyne regrette que l'Occident ait soutenu l'URSS contre l'Allemagne nazie lors du dernier conflit mondial.

« Il n'est pas le seul : avant lui des Occidentaux comme Pierre Laval avaient pensé de même, et des gens comme Doriot et Déat accueillaient les nazis en libérateurs... (...) »

---

1. Joseph Grima avait aussi envoyé des lettres d'injures au président de la cour d'assises.

2. *Le Monde* du 19 avril 1975.

3. Le vague du *Monde* devra être comparé avec la clarté de Jacques Derogy (*ibidem*) : « L'expertise a permis de confondre l'auteur de ces lettres, Joseph Grima, 24 ans, camarade de Balozian, dont les « amis situationnistes » écrivaient récemment à *l'Express :* « Rarement victime et assassin ont été si proches ».

Or, ce commentaire ne repose sur rien sinon sur la déformation d'un discours tenu par le Prix Nobel devant des syndicalistes américains. Le 12 septembre, le quotidien annonce que l'écrivain a accepté de se rendre au Chili, ce qui revient à rendre hommage au régime du général Pinochet. L'annonce du voyage à Santiago est sans fondement. D'où vient la hâte du *Monde* à tirer des conclusions d'un texte avant de l'avoir eu en main ou à se faire l'écho d'une dépêche d'agence avant de l'avoir contrôlée ? S'agit-il là d'une méthode qui aurait été acceptée par l'ancien directeur ? Les rectificatifs qui suivront compenseront-ils réellement l'effet diffamatoire d'un rapprochement gratuit et grossièrement outrageant ?

Et si ces rectificatifs sont sincères, pourquoi reprendre, sans exprimer catégoriquement des réserves, des accusations de la même veine, portées par M. Gyorgy Aczel, vice-président du gouvernement hongrois, le 31 octobre 1975 ? Celui-ci dans un entretien accordé au *Monde* déclare : « Nous ne le (Soljénitsyne) publions pas parce que dans son activité il exprime des idéaux inhumains auxquels nous ne garantissons pas de forum. Soljénitsyne incite à une nouvelle guerre mondiale, défend les ignominies du fascisme, s'oppose à la coexistence pacifique. Il est l'instrument de la réaction la plus extrémiste. » La formule de l'interview, au moyen de la reproduction des propos d'un tiers, permet ainsi de prodiguer impunément quelques insultes sous le couvert de l'objectivité.

Plaidera-t-on que le journal met en valeur l'esprit de mesure et le rationalisme d'un Sakharov en lui opposant ainsi le traditionalisme passionné d'un Soljénitsyne, son « passéisme »..., son « romantisme patriarcal et religieux » ? *Le Monde* a, certes, souvent fait l'apologie du célèbre physicien et de son combat pour la liberté. L'article saluant l'attribution du Prix Nobel de la paix au savant soviétique s'ornera cependant d'un dessin satirique discréditant quelque peu le sens et la signification de sa lutte. La caricature (procédé de plus en plus utilisé par *le Monde*) insinue qu'il suffit de prendre la faucille et le marteau pour cible, comme dans un stand de tir forain, si l'on veut obtenir une récompense à Oslo. Le « bulletin de l'étranger » du 11 octobre 1975 suggère une autre impression défavorable. Le premier tiers de l'article (37 lignes sur 117, exactement) rappelle que « la commission du parlement norvégien... », n'a pas toujours eu « la main heureuse », que depuis trois ans « elle avait pris des décisions à ce point contestables qu'on en était venu à douter de l'intérêt au moins moral de ce prix ». Certes, la désignation de Sakharov « réhabilite l'institution ». Mais cette concession est immédiatement compensée. Le jury a accompli « une sorte de retour aux sources » : de même que Nobel était l'inventeur de la dynamite, Sakharov est « l'un des pères de la bombe H soviétique. Il s'est mué en « apôtre de la paix et de la compréhension entre les hommes ». Soit. Mais la naïveté qu'il partage avec beaucoup de contestataires soviétiques » appelle une mise en garde. Sakharov idéalise la situation en Occident : « On peut espérer du moins qu'il n'englobe pas dans cet Occident le Chili sur lequel il a eu un jour un mot malheureux, évoquant l' « *époque de renaissance* » annoncée par le général Pinochet. Le censeur de la rue des Italiens n'envisage pas que le « mot malheureux » de Sakharov puisse également révéler la pénurie d'information dont souffrent les intellectuels soviétiques et la méfiance que leur impose la presse officielle du régime. Le portrait qui est fait de lui (page 3) revient encore sur les naïvetés de Sakharov. C'est ainsi que les lecteurs pressés se représenteront peut-être le Prix Nobel comme l'un des partisans de Pinochet. Et que, du même coup, les compliments qui lui sont décernés perdent beaucoup de leur force de conviction.

Mais l'insinuation passe encore par bien d'autres méandres.

« Un prêtre peut-il être communiste ? »

Le titre de ce « témoignage » signé Jean-Baptiste, paru dans *le Monde* du 13 mai 1975, est caractéristique. Poser une interrogation, comme si elle était purement théorique et désintéressée, c'est contraindre le lecteur à envisager qu'une réponse positive peut être apportée. Que coûte-t-il de faire paraître un mois plus tard une correspondance relevant l'absurdité de l'hypothèse ? Cette correspondance vient trop tard et n'est guère capable d'effacer les traces laissées dans les esprits par le « témoignage ». Des traces qui s'inscrivent dans un des sentiers les plus battus.

En d'autres occasions, l'insinuation se contente d'une simple phrase. « Vous êtes aussi le président des prostituées ! » écrivaient celles de Lyon au président de la République. » Telle est la conclusion d'un article du 11 juin 1975. Quelle ne serait pas l'indignation méprisante de Jacques Fauvet si sous prétexte qu'il serait lu par une poignée de filles de joie l'on disait de son journal, par le biais d'un écho complaisant, qu'il est aussi le journal des prostituées !

Et n'est-ce pas une autre forme d'insinuation, que celle qui aboutit à présenter une contre-vérité ou une absurdité comme une évidence aussi indiscutable qu'un postulat mathématique ? *Le Monde* du 20-11-1974 écrira donc à propos du refus des Israéliens de négocier avec l'OLP : « Mais le dialogue ne s'ouvrira-t-il pas un jour, tôt ou tard, comme il s'est ouvert entre tous les mouvements de libération et toutes les puissances coloniales [1] ? » Quel que soit le point de vue de chacun sur le problème du Proche-Orient il est difficile de soutenir comme le suggère ce paragraphe qu'Israël est une puissance coloniale. Où serait sa métropole ? Vers quelle

1. Bulletin de l'étranger : *l'Impasse.*

mère patrie les colons pourraient-ils songer à se replier ? Or, à l'examen, combien relèvera-t-on de factices truismes et de sophismes introduits par des « il est vrai que » et des « n'est-il pas évident que... ! » Mais subtilement.

Le Monde a soin de ne jamais proclamer ouvertement qu'un cercle est carré. Il parle avec naturel d'un cercle dont les quatre côtés sont égaux.

***

Un mot pour rire, avant d'en terminer provisoirement.

On pouvait lire dans le numéro du *Monde* des premiers jours de juillet 1972 la relation du fait divers suivant :

> « Un dîner mondain à Neuilly, banlieue élégante de la capitale. Un des couples invités a laissé pour la soirée ses deux enfants seuls à la maison : le garçon de dix ans, dûment chapitré, veillera sur sa petite sœur qui en a quatre. Qu'il n'ouvre à personne, aille se coucher à neuf heures(...). A dix heures, le téléphone sonne : c'est le petit garçon. A moitié en larmes, à moitié rieur, très excité : « Papa, il y a un voleur qui est venu. Je l'ai tué. » Le père croit d'abord à un conte. (...) Le père s'inquiète enfin : « J'arrive. » (...) Le voleur est là en effet sur le tapis du salon dans un flot de sang, bel et bien mort. (...) Pendant que le voleur retournait les tiroirs du secrétaire, le petit garçon avait sorti du bureau le 6,35 que son père avait eu l'imprudence de lui montrer et, comme dans un jeu, comme à la télévision, il l'avait armé, était revenu sur la pointe des pieds et avait tiré sur la silhouette penchée vers le meuble. L'homme s'était écroulé. Alors le petit garçon avait téléphoné.

« Ce n'est pas tout. La police arrive. On retourne le cadavre, on découvre son visage. Un cri : c'était le fils — vingt-deux ans — des amis chez lesquels dînaient les parents. Cela s'est passé il y a quelques semaines. Il n'y a pas eu de plainte, l'action de la justice était éteinte, l'affaire a été classée. La famille a vaguement parlé d'accident et, aux intimes, de suicide. Le petit garçon passe, avec sa sœur, d'excellentes vacances. »

Dans une conclusion sentencieuse *le Monde* tance les confrères qui faillissent à leur tâche : « Ce fait divers-là n'a pas encombré les colonnes ni fait les gros titres des journaux. Cependant il est plus significatif et plus angoissant que le cas des tueurs de Clairvaux ou du notaire de Bruay. C'est un fait divers d'aujourd'hui, cynique et froid comme l'époque et le monde actuels. »

D'aussi sensationnelles révélations, accompagnées d'aussi pertinents commentaires, semèrent la panique au Parquet et à la Police judiciaire : il y avait homicide, il y avait recel de cadavre et, contrairement à ce que pensait *le Monde,* aucune autorité n'avait été avertie. Enquête. Investigations. Rien. La police sollicite l'aide du journal. Peut-il fournir des précisions sur une information dont il partage l'exclusivité avec *Spécial Dernière ?* L'auteur de l'article se retranche noblement derrière le secret de ses sources, un secret sacré.

Le pot aux roses, *France-Soir* le révélera incidemment et sans malice en octobre 1974 :

« En 1972, dans les dîners parisiens, on racontait avec frémissement l'histoire rocambolesque de ce petit garçon qui avait tué un cambrioleur masqué qui n'était autre que le fils d'un important industriel. En fait, cette histoire était la reprise inconsciente d'un fait divers classique, sans doute faux, rapporté par Maxime du Camp en 1893. »

Cet épisode burlesque et déjà ancien n'aurait pas été rappelé maintenant si un rapprochement ne s'imposait pas avec un article du même journal et du même auteur. Celui-ci le 28 juin 1975 sermonne doctement Philippe Tesson pour avoir osé publier à propos du Portugal, le document Ponomarev : « Un faux caractérisé aussitôt exploité dans tous les pays par les adversaires de l'Union de la gauche ». Il dénonce les « dangers » de l'excès de tolérance. Il décerne un blâme solennel :

> « L'affaire du faux « document » soviétique publié par les journalistes de *Republica* dans un supplément spécial du *Quotidien de Paris* montre bien jusqu'à quelles perversions de l'esprit peut conduire le laisser-faire laisser-passer et éclaire du même coup les motifs de la dégradation de la presse, dégradation qui est une cause de ses malheurs. »

La conclusion de l'article s'ornait de cette phrase : « Cette fois le cercle est refermé, la boucle est bouclée. »

On ne saurait mieux dire : l'auteur de l'article de juillet 1972 était le mieux placé pour s'indigner d'un « faux » et pour boucler la boucle.

CHAPITRE IV

MYTHE ET MOUVEMENT PERPETUEL

« *Le Monde* est une institution », affirment avec un hochement de tête respectueux les esprits les plus libres et les moins crédules. Aussi, toute velléité critique à son égard est-elle, dans la plupart des cas, préventivement découragée.

S'en prendre au *Monde*, c'est commettre à la fois un sacrilège et une imprudence car « *le Monde* est très puissant ; il a une influence énorme ». Cet autre propos indique combien *le Monde* fait peur : on tient qu'il peut asseoir ou démolir une réputation à son gré ; on s'irrite de l'exercice arbitraire qu'il fait de ce pouvoir ; mais on s'en accommode, par crainte du mal qu'il pourrait causer à qui se permettrait de se rebeller.

« C'est, hélas ! le quotidien le plus complet et sa lecture reste, malgré tout, indispensable. » Cet argument — souvent invoqué par les gens qui continuent à le lire tout en mettant en cause son orientation globale — contribue à lui assurer l'immunité.

Chacun se comporte alors comme si le mieux était de courber la tête. « Je me borne à mettre en garde ceux qui suivent mes cours contre les thèses simplistes, les raisonnements hasardeux. » Cette confidence d'un certain nombre de professeurs de l'enseignement supérieur est éloquente.

« Je continue de collaborer épisodiquement au *Monde,* mais je proteste verbalement à chaque occasion auprès du directeur actuel devant les informations et les appréciations viciées qui se multiplient dans les colonnes », avoue en privé tel ou tel éminent universitaire.

D'autres maîtres éprouvent parfois de l'agacement à voir leurs étudiants tirer des objections absurdes contre leur enseignement à partir d'un fait controuvé, mais mentionné dans un article du quotidien dont, depuis des lustres, ils entendent vanter la qualité : « Mais c'est écrit dans *le Monde.* » Cependant, ces maîtres s'abstiennent de toute action collective qui permettrait de délivrer ces étudiants de l'image mythique qui leur a été inculquée.

Une simple anecdote illustrera leur situation. La Fédération nationale des Syndicats autonomes de l'Enseignement supérieur a pour président d'honneur un éminent professeur de droit, M. Georges Vedel, dont la plume orne régulièrement la « une » du *Monde.* Or que lit-on dans son bulletin ? Une série de protestations contre la manière dont le journal déforme les problèmes universitaires, « *le Monde* s'enfonce dans le parti pris », « *le Monde* continue », « le jésuitisme fait journal [1] ». Les appréciations, qui se succèdent à qui mieux mieux, s'accompagnent de commentaires à l'avenant :

> « L'expression du principal courant de pensée de l'Université française a disparu de ce journal. Tous ceux qui n'ont connaissance des problèmes de l'Université que par lui ont une vue complètement faussée. Ils sont, hélas, fort nombreux »,

1. *Bulletin de la Fédération nationale des Syndicats autonomes de l'Enseignement supérieur* n° 3 (mars 74), nos 4 (novembre 74), 5 (janvier 75).

écrit M. Jean Bastié, professeur à la Sorbonne après avoir constaté :

> « Les ministres sont très sensibles à ce qu'il écrit sur leur compte et il leur faut beaucoup de courage pour accepter d'être critiqués par ce journal qui est un peu comme le *Journal Officiel* de la République, jouissant de plus du monopole de la Presse du soir et passant pour être bien informé et relativement objectif. Ce qui est une grave erreur. »

Ailleurs ce sont d'autres maîtres qui analysent la façon dont les communiqués, les mises au point, les correspondances adressées au quotidien de la rue des Italiens ont été tronqués, dénaturés, ou mis au panier. M. Pierre Boyancé, membre de l'Institut, ancien directeur de l'Ecole française de Rome (et qui fut aussi chroniqueur du *Monde* jusqu'en 1968) fait part de la lassitude que lui ont inspiré de vains efforts :

> « J'ai eu l'occasion, plus d'une fois, de remarquer que les méthodes de critique en usage au *Monde* n'étaient pas celles auxquelles je formais mes étudiants. Je déclare ici publiquement à M. Jacques Fauvet que je ne lui adresserai plus jamais de lettre, car il est trop mauvais élève en philologie pour que j'espère pouvoir le former aux bonnes méthodes [1]. »

Mais l'audience de ces critiques, confinées à l'intérieur de revues spécialisées, demeure confidentielle. Les autres organes de presse n'osent pas leur servir de caisse de résonance. Qu'ils soient de souffrance ou d'alarme, ces cris sont étouffés [2].

---

1. *Ibidem*, n° 5 (janvier 1975).
2. Dans le même ordre d'idées il conviendra de se demander qui vise essentiellement M. Marcel Merle, professeur à l'Université de

En conséquence, lorsqu'elles ont des doléances à formuler (ou des plaintes à porter) toutes les victimes en demandant réparation se croient tenues de préciser qu'elles ont du respect pour *le Monde,* qu'elles le tiennent pour un journal sérieux et objectif. M. André Braunschweig, président de la cour d'assises de Paris, assigne-t-il le journal en diffamation pour avoir — froidement — publié un communiqué où il est qualifié d'assassin ? Il plaidera que le préjudice qui lui est causé est d'autant plus grave que la réputation du *Monde* est considérable. Et les attendus du tribunal, qui condamnera le journal, noteront en conséquence que le demandeur a dit avoir de l'estime pour le défendeur. M. Paul Delouvrier, président d'Electricité de France, proteste-t-il dans une longue lettre contre une interprétation malveillante d'une phrase qu'il a émise et qui aboutissait à le faire accuser de « racisme » ? Il n'omet pas de dire qu'il compte sur la « compréhension » du directeur pour publier sa mise au point et qu'il estime juste de souligner : « Depuis plus de trente ans que *le Monde* existe et que je suis en service public — c'est la seconde fois seulement, non point que j'ai eu la tentation de vous écrire, mais que pour d'autres que moi, j'en éprouve la nécessité ».

Ces précautions verbales, néanmoins, ne doivent pas

Paris dans cet extrait d'un de ses éditoriaux de *la Croix* où il se livre aux réflexions suivantes : « Comment savoir si le courrier des lecteurs ou le choix des tribunes libres reflètent exactement les tendances du courrier reçu ? Si la rédaction reçoit cent lettres dans un sens et une seule dans un autre, la publication de deux lettres en sens contraire est-elle garantie d'objectivité ? Le filtrage s'opère aussi par la sélection qui préside à la reproduction des communiqués, la structure, au calendrier et au contenu des rubriques bibliographiques : rien de plus facile que de freiner l'expansion d'un courant d'idées ou d'en encourager un autre. Quant aux coupures pratiquées d'autorité dans les articles, spécialement dans ceux des collaborateurs occasionnels qui fournissent pourtant au journal la caution de leurs titres et de leur réputation, elles sont monnaie courante. De tout cela résulte à la longue un véritable conditionnement du lecteur. » (*La Croix* du vendredi 1er août 1975 : « On lit comme on mange ».)

trop faire illusion. Quand M. Braunschweig et l'avocat général Lucien Langlois demandent un franc de dommages-intérêts pour le préjudice subi (agissant non seulement pour eux-mêmes, mais pour les jurés de la cour que le communiqué incriminait aussi), ils agissent courageusement en hommes seuls. Ils ont vainement attendu que, selon l'usage, le ministère de la Justice prenne l'initiative des poursuites. Celui-ci s'est dérobé tant la considération inspirée par le journal est puissante.

Quand M. Paul Delouvrier fait appel à la « compréhension » du *Monde* pour faire paraître sa mise au point, il faut regarder que celle-ci excède notablement la longueur de l'article auquel elle se réfère ; qu'il ne conteste pas avoir tenu le propos que cet article relevait, mais seulement le fait qu'on l'ait sorti de son contexte, pour en tirer, la balle étant saisie au bond, une conclusion hâtive et quelque peu perfide.

Néanmoins, les protestations de déférence des victimes ont un effet paradoxal : elles contribuent à entretenir le mythe qu'elles devraient, plutôt, entamer. L'erreur, la diffamation, la distorsion des faits ne sont pas stigmatisées en tant que telles. On ne songe plus guère à leur reprocher leur gravité intrinsèque (comme on ne manquerait pas de le faire à l'encontre de tout autre organe de presse) : on leur reproche une gravité proportionnelle aux mérites qu'on accorde à celui qui s'est trompé, qui a diffamé, qui a déformé les faits. On réclame réparation, mais on s'empresse d'accompagner la demande d'une absolution à l'honneur de l'auteur. « La légèreté dont vous avez fait preuve contraste avec votre sérieux habituel ! »

« L'interprétation tendancieuse que vous avez donnée ne correspond pas à votre objectivité. » Telle est l'invariable litanie que *le Monde* se plaît à voir mettre en tête de ses actes de vaniteuse contrition.

Pourtant, la fréquence des erreurs, des déformations de faits, des insinuations abusives ne peut-elle également passer pour un indice de légèreté ou de malveillance et révéler, pour s'exprimer avec modération, une intégrité intellectuelle intermittente ?

Sinon, *le Monde* n'a vraiment plus qu'à faire proliférer chaque jour dans ses colonnes la matière à errata, pour améliorer son image de marque, par l'effet d'un miraculeux mouvement perpétuel.

Qu'est-ce donc qui fait hésiter tant d'honnêtes esprits à appeler un chat un chat ? D'où vient cet engourdissement qui s'empare d'eux, au moment où ils sont tentés de secouer le joug ? Pourquoi consentent-ils à partager ce qui, à l'analyse, se révélera peut-être, comme un état d'hypnose générale ?

Chapitre V

INTELLECTUELS PIÉGÉS ET DÉS PIPÉS

Les lecteurs convaincus de l'objectivité du *Monde* sont encore nombreux, mais ils n'appartiennent plus guère, ni par tempérament, ni par inclination, ni par goût, à la catégorie de ceux qui ont fait la fortune du journal. Ces derniers rendaient hommage à une certaine forme d'honnêteté intellectuelle qui consistait à relater les faits dans toute leur complexité et avec la plus grande rigueur possible. Sans doute quelques individus s'irritaient-ils que telle information fût rapportée. Il s'agissait de griefs purement personnels. Ces individus n'étaient pas en mesure de protester que les faits avaient été isolés de leur contexte, et par là même déformés ; ils n'étaient pas fondés à proclamer que les faits étaient présentés dans un esprit partisan. La raison en était simple : c'est à la connaissance des faits — et donc à l'information — que le primat était accordé. Quelles que fussent leurs opinions, leurs options politiques, leur foi, il régnait chez les lecteurs et les rédacteurs du *Monde* un large consensus sur la notion d'information, et sur celle du vrai et du faux.

Reconnaître l'« objectivité » du journal était d'abord

constater qu'il mettait au-dessus de tout le souci scrupuleux de se conformer à des principes élémentaires.

Aujourd'hui, au contraire, lorsqu'on entend les lecteurs vanter l'« objectivité » du Monde, le propos est très souvent émis avec une passion fort peu compatible avec une saine méthode intellectuelle. L'« objectivité » du *Monde* est invoquée comme un argument d'autorité au service d'une thèse. « C'est *le Monde* qui le dit... » « *Le Monde* a écrit que... » « N'avez-vous pas lu *le Monde* qui révèle que... ? » Il suffit d'une phrase péremptoire pour affirmer que *le Monde* est digne de crédit. Il faut de longs développements et beaucoup de patience pour montrer les limites de l'affirmation.

Celui qui entreprend pareille démonstration doit d'abord affronter l'irrationnel. La mode, l'habitude en font partie : on a tellement entendu vanter les mérites du *Monde* que l'on continue à les célébrer par habitude ou pour suivre la mode. Il s'y ajoute une part d'entêtement car nul n'aime avouer qu'il leur a cédé.

L'état de fascination collective est entretenu par un nombre appréciable d'intellectuels apportant au *Monde* soutien ou caution. Il convient cependant d'y regarder de plus près.

Les uns sont hommes de parti et même, parfois, militent ouvertement dans une formation politique pour un changement radical de société. Ils estiment que le journal, tout bien pesé, contribue à répandre des idées favorables à leur cause et sont donc naturellement portés à le trouver « objectif ». Leur conviction peut être sincère. Chacun, après tout, accorde une valeur absolue à son propre système de pensée. Il peut s'agir, aussi, chez ceux qui ont l'ambition d'agir, d'une attitude calculée qui combine avantageusement les vertus de l'intelligence et de l'action : *le Monde* sert d'autant mieux le succès de leurs idées que son « objectivité » passe pour indiscutable : il est donc bon que personne ne vienne ébranler cette réputation.

Un autre contingent de thuriféraires est fourni par

ceux que l'on pourrait qualifier d'intellectuels-prophètes. Le savant, le philosophe, l'écrivain se sont vus régulièrement priés d'engager leur prestige dans un débat tantôt par le biais d'une signature au bas d'une pétition, tantôt grâce à une interview, une déclaration, un appel par communiqué ou, mieux encore, un article. C'est leur manière à eux de distribuer les autographes que les masses frivoles ne songent à demander qu'aux actrices de cinéma et aux chanteurs de charme. Cette façon de parvenir au vedettariat, ou de s'y maintenir, a assurément l'avantage de réparer les injustices de la gloire. Chacun risque en revanche d'y forcer son talent. On peut être un éminent physicien, chimiste, biologiste, chirurgien, psychiatre, sans posséder de compétences particulières pour juger de la politique internationale, d'un projet de loi, d'un fait divers. L'intellectuel-prophète, au nom des mérites acquis dans sa spécialité, se voit créditer d'une compétence universelle bien qu'il ne soit pas toujours mieux informé que n'importe quel particulier. On l'installe sur un trépied et il vaticine, sans songer un instant aux légitimes protestations qu'il émettrait si quelque incompétent prétendait intervenir de même manière dans sa propre discipline. Or *le Monde* a excellé à s'attirer faveurs et louanges des intellectuels-prophètes en leur accordant un moyen d'expression privilégié, un podium, un festival non-stop dont l'audience est exceptionnelle.

Une troisième catégorie d'intellectuels contribue à fournir au *Monde* une garantie de qualité en y collaborant épisodiquement et en apportant, cette fois, un concours autorisé. Ils sont de diverses sortes : spécialistes d'un problème donné, économistes, juristes, hommes de science, hommes politiques exerçant ou ayant exercé de hautes fonctions. Ils s'expriment tantôt au travers d'un article ou d'une série d'articles rédactionnels, tantôt au travers de « libres opinions ». La présence de leur signature apporte au journal un élément de prestige, tandis que la diversité de leurs opinions renforce sa réputation d'objectivité. Le public conclut alors : « Un journal qui ouvre ses colonnes si généreusement, si libéralement, à un éventail d'individualités aussi large, démontre assurément son honnêteté et son objectivité et l'on peut donc lui faire confiance. » Ce que le public ignore, ce sont les appréciations que quelques-unes de ces personnalités portent, *mezzo voce,* sur l'orientation du journal, sur la valeur de son contenu, sur la sûreté de ses informations. Pourquoi, se demandera-t-on, viennent-elles alors lui verser leur écot ? Leurs raisons ne sont pas nécessairement dictées par la vaniteuse rage de se faire publier. Bien souvent, elles obéissent à des considérations pratiques en faisant fi de leurs sentiments personnels. *Le Monde* leur offre une tribune : pourquoi n'en profiteraient-elles pas ? En revanche, il est vrai que ces personnalités ne discernent pas toujours ainsi l'importance exacte de la partie qu'elles sont conviées à jouer dans l'orchestre. Elles ont naturellement tendance à en exagérer la portée et l'audience. Quand elles auront émis quelques notes justes, quand elles auront indiqué la bonne mesure, quand elles se seront évertuées à apporter la nuance, quand elles auront obtenu place pour un demi-soupir, quel effet cela aura-t-il en définitive sur l'ensemble ? Estiment-elles que la tonalité sera profondément modifiée ? Pensent-elles que leur voix couvrira les basses continues, les coups de cymbales, les violons suggestifs et les flûtes mielleuses ? Imaginent-elles sérieusement que le public, après avoir un instant prêté un intérêt, mérité, mais bref, à leur interlude, ne sera pas emporté par l'ambiance globale du concert ? La direction du *Monde,* elle, donne à penser qu'elle connaît la musique lorsqu'elle engage l'un de ces brillants solistes. Sa présence sur l'affiche impressionne favorablement et répond de la qualité du reste du programme. Et ceux qu'on installe ainsi pour un instant sur le devant de la scène ne se doutent pas toujours qu'ils servent à la fois d'alibis et d'otages.

*

En tant qu'usagers, c'est-à-dire en tant que simples lecteurs, les intellectuels sont appelés, d'une autre manière encore, à servir de répondants. Les statistiques prouvent qu'ils constituent une part appréciable de la clientèle — au point que le journal passe pour être, par essence et prédestination, leur journal. Mais ils semblent se répartir entre plusieurs groupes. Les uns constatent qu'ils sont contraints de feuilleter régulièrement *le Monde,* faute d'un autre quotidien de ce type en France : même si son orientation les irrite, ils considèrent, à juste titre, que *le Monde* apporte une foule de renseignements indispensables, ne serait-ce que pour reproduire des dépêches d'agence, faire état de mutations dans l'administration, fournir la biographie d'un haut fonctionnaire, donner idée d'un débat télévisé qu'ils n'ont pu suivre. Ce qu'ils reconnaissent désormais au journal, c'est une utilité pratique, et non plus une autorité morale : dans les domaines qui les intéressent, l'information n'est pas déformée avec constance. Et quand bien même ce serait le cas, peu leur importe : à défaut d'être exactement renseignés, ils sont au moins avisés de l'existence des problèmes.

A l'autre pôle, l'on rencontre ces intellectuels qui aiment se qualifier d'intellectuels de gauche, non sans quelque équivoque. S'il est évident qu'on peut parfaitement être un intellectuel et un homme de gauche, la notion d'intellectuel de gauche paraît impliquer un lien étroit entre les opinions et les facultés pensantes — et une interférence telle que les premières déterminent le fonctionnement des secondes.

La conformité à des opinions préétablies déclenche le déclic cérébral — et affectif — qui décidera du vrai et du faux, de l'adhésion et du refus. La réflexion ainsi conditionnée s'apparente au réflexe. Elle aboutit aussi à l'apparition d'une nouvelle communauté de bien-pensants, aussi jaloux de leurs prérogatives, aussi prompts à blâmer et à délivrer des satisfecit, et, dans le fond, aussi étroitement bigots que jadis les bien-pensants de droite. A une différence près : les bien-pensants du passé s'accordaient à qui mieux mieux le titre d'hommes de bien ; ceux d'aujourd'hui, le titre de penseurs.

⁂

Entre les simples usagers, qui négligent les commentaires du journal et les intellectuels de gauche patentés, il existe enfin une catégorie intermédiaire. Celle-ci comprend des intellectuels qui sont des intellectuels avant d'être de droite ou de gauche, mais qui, tout en percevant à quelque degré les travers du *Monde,* hésitent à en faire le procès. Ils redoutent qu'une pareille entreprise ne les expose à paraître désavouer d'autres positions exprimées dans les colonnes et qu'ils partagent. Ils ont condamné depuis de longues années le comportement des Etats-Unis au Viêt-nam et au Cambodge et ils ont peur de paraître se renier s'ils stigmatisaient la complaisance témoignée par le journal envers les abus des Khmers rouges. Ils s'irritent de voir le comportement d'Israël dans les territoires qu'il occupe comparé à celui d'un Etat nazi, mais ils ne veulent pas être accusés d'indifférence à l'égard des Palestiniens. Ils perçoivent le manichéisme de certains reportages consacrés à la péninsule ibérique, mais en réclamant des nuances, ils pourraient être accusés de complaisance pour les régimes franquiste et salazariste, qu'ils ont justement et de longue date réprouvés. Ils trouvent excessive et caricaturale la façon dont *le Monde* dépeint les magistrats et les tribunaux, mais ils n'aimeraient pas que leurs réserves soient interprétées comme un refus de voir procéder à des réformes dans le fonctionnement de la justice. De même, ils décèlent la partialité dans les coups de boutoir lancés contre tel ou tel pan des institutions, mais ils se défendent de vouloir soutenir que ces institutions sont irréprochables. En un mot, bien souvent, ils conservent par devers eux leurs doléances de peur qu'en les émettant, ils ne se voient taxés de conservatisme ou, pis encore, qualifiés de réactionnaires. Ils n'ont pas absolument tort dans leur méfiance. *Le Monde,* d'abord, excelle à laisser peser de semblables soupçons sur ceux qui le mettent en cause. Mais surtout, il a le don de pousser à bout le lecteur en révolte : l'excès de sa patience fait de lui un homme excédé. Il devient capable, lorsqu'il se remémore tout d'un coup la somme des exemples par lesquels on a sollicité, sinon détourné sa confiance, de rejeter d'un seul coup l'ensemble du contenu du journal, de renier toutes les positions qu'il avait partagées, qu'il partagerait peut-être encore si le doute qui s'est emparé de lui ne s'était généralisé. Bref, non seulement il réagit, mais il entre en réaction. C'est sans doute insuffisant pour qu'il mérite d'être qualifié de réactionnaire, et à plus forte raison, d'être rangé dans la catégorie de l'extrême droite. Mais son irritation offre, à son désavantage, un contraste avec la sérénité que conservent, sans difficulté, ceux dont *le Monde* ne contrarie pas les options. Elle colore sa protestation d'une véhémence qu'un observateur non averti pourrait effectivement confondre avec le ton des imprécations que l'extrême droite — avec des raisons douteuses — a lancé traditionnellement contre *le Monde.* Quelquefois même, sa lucidité, sa claivoyance paraissent altérées. Ne connaissant pas les rouages intimes du journal, privé des moyens d'analyser les mécanismes de sa mentalité, il va proférer des accusations qui, portant à faux, fourniront l'occasion d'une réplique hautaine et d'un triomphe facile.

Il faut, avant d'en terminer, mentionner une dernière série d'intellectuels qui apportent indirectement leur caution au *Monde.* Elle est constituée essentiellement par des hommes occupant des postes importants (qu'il s'agisse de fonctions dans l'Etat, la diplomatie, l'économie, etc. ou même, tout bonnement, la presse). Ceux-là savent à quoi s'en tenir sur l'objectivité du journal, soit qu'ils aient fait les frais de ses insinuations, soit que l'expérience acquise à étudier les dossiers les aient rendus particulièrement prompts à déceler les sophismes et les chausses-trapes. Bien mieux, ils savent aussi à quoi s'en tenir pour ce qui concerne le sérieux des informations du *Monde*. Lorsqu'ils sont situés à la source où ces informations peuvent être puisées, ils ont constaté qu'on n'est pas venu les consulter, ou qu'on a travesti les renseignements qu'ils ont fournis, à moins qu'on ne les ait compris de travers... Bien avertis des problèmes qu'ils ont à traiter en raison de leur position ou de leur profession, ils sont en mesure de dépister au premier coup d'œil l'absurdité ou la contre-vérité qui a été imprimée. Quelquefois, se rencontrant, s'ils viennent à parler de la presse française, et de la place que *le Monde* occupe en son sein, ils n'auront même pas besoin de se livrer à une critique bien poussée du quotidien de la rue des Italiens, tel qu'il est devenu aujourd'hui. Un soupir amusé, un léger haussement d'épaule y suffisent. Ils iront jusqu'à l'éclat de rire s'ils sont de joyeuse humeur.

Néanmoins, les mêmes hommes, s'ils venaient à s'entretenir de la même question avec un quidam, ne s'aventureraient guère. En face de l'admirateur du journal — ou d'une foule dans un débat public — ils conserveront un silence poli ou manifesteront tout au plus un scepticisme de bon ton. S'ils sont amenés par hasard à contredire une assertion du *Monde*, ils ne livreront rien du fond de leur pensée sur son inspiration d'ensemble et ne souffleront mot si jamais l'on en fait l'apologie devant eux. Le silence étant considéré comme un consentement, ils paraîtront souscrire et, par le fait, apporteront à leur tour leur caution au journal.

Comment expliquer leur attitude ? Il convient, bien sûr, de faire une menue part à la satisfaction secrète qu'éprouvent les hommes à se savoir des initiés et à préserver la supériorité que leur confère une si enviable position. On ne saurait négliger non plus le rôle de la paresse ou de la lassitude : *Vulgus vult decipi. Ergo decipiatur !* A quoi bon, en effet, s'engager dans des discussions qui promettent fort de se révéler filandreuses, se ruer dans une chicane qui attirera des inimitiés, des protestations tapageuses, des médisances ou des calomnies ? Quel profit attendre à rompre des lances pour désarçonner un porteur d'illusions prêt à se battre férocement pour ne pas les perdre ? Au contraire, il peut y avoir un réel profit à laisser les choses en l'état. La baisse de crédibilité du *Monde* dans ce qu'il est convenu d'appeler les milieux bien informés a l'avantage de réduire la portée de critiques, voire d'attaques qui, dans le passé, eussent affolé.

Mais les motifs qui conduisent à se taire les hommes les mieux capables de river son clou au journal peuvent aussi être des plus respectables. Outre la courtoisie qui interdit de traiter un tricheur de tricheur, l'obligation de réserve liera les hauts fonctionnaires, les règles de la confraternité figeront les gens de presse, même s'ils ont l'habitude de ne pas être payés de retour. La haute idée de ce qu'ils doivent à autrui, à l'Etat, au service public et de ce qu'ils se doivent à eux-mêmes, réduit cette catégorie d'intellectuels à faire passer au second plan le devoir que tout homme a envers la vérité — l'élémentaire vérité — dès qu'elle est bafouée : la rétablir.

Mais, dans ces conditions, quelle valeur doit-on accorder au cautionnement hétéroclite que l'ensemble des intellectuels sont censés apporter au *Monde* ? Ce cautionnement doit-il encore quoi que ce soit à l'exercice régulier de l'intelligence, à partir du moment où il repose sur la passion des uns, sur la passivité des autres et sur l'intimidation de presque tous ?

CHAPITRE VI

LE VRAI, CAUTION DU FAUX

Convaincre que l'objectivité du *Monde* n'est plus qu'une objectivité d'apparence se heurte à un obstacle majeur : les erreurs, les falsifications, les déformations, les tricheries de tous ordres que les observateurs avertis — mais isolés — décèlent au fil des pages, occupent un espace nettement moindre que la matière ne donnant pas lieu à contestation. De même, souvent, à l'intérieur de l'article le plus douteux, les constatations indiscutables, les paragraphes d'allure neutre pourront l'emporter en dimension sur les passages propres à tromper.

Fort de quoi, *le Monde,* dès que l'on ose mettre en cause son honnêteté intellectuelle ou son sérieux, brandit doubles décimètres, mètres et chaînes d'arpenteur, compte les lignes, prend le ciel à témoin que la longueur et la surface apportent la preuve de son impartialité, de son mérite et de la pureté de ses intentions.

Cette justification quantitative est passablement surprenante pour un journal qui se réclame de la qualité. Elle est en outre spécieuse.

On songe à cette « superbe puissance ennemie de la raison », dont Pascal dit : « maîtresse d'erreur et de fausseté, elle est d'autant plus fourbe qu'elle ne l'est pas toujours, car elle serait règle infaillible de vérité si elle l'était infaillible du mensonge ».

Il est bien certain que si dans *le Monde* tout était faux il n'y aurait pas lieu de débattre de son contenu ou de son orientation. Les lecteurs sauraient à quoi s'en tenir. Ils ne se sentiraient plus égarés. Ils s'y retrouveraient peut-être même un peu mieux : il leur suffirait de lire le journal, en quelque sorte à l'envers — en établissant une espèce de négatif photographique, ils y verraient la vérité, rien que la vérité, écrite blanc sur noir. *Le Monde* entretient l'équivoque d'autant mieux que l'esprit du temps est sensible aux considérations statistiques. Le lecteur se laisse convaincre de faire la part des choses, de séparer dans le contenu du journal le vrai et le faux, de les répartir entre deux plateaux et de s'assurer que l'aiguille penche du côté du vrai.

La duperie consiste au premier chef à admettre le principe de cette mise en balance. A ce compte, si jamais le vrai et le faux venaient à se rencontrer à doses égales, faudrait-il dire qu'ils s'équilibrent ou s'annulent et que le résultat est empreint d'une stricte neutralité ? Le sophisme latent — si vieux et si criant qu'on a presque honte de se mettre à le disséquer — repose sur une mise en équation injustifiée. L'on feint d'oublier que le vrai et le faux sont, de nature, incompatibles et, donc, incommensurables. De plus, en ne regardant que leur *proportion,* on se dissimule la nature de leur *rapport* L'on néglige de considérer qu'il suffit d'un peu de faux pour dénaturer tout un ensemble de vrai — car le faux peut agir comme un virus à doses infinitésimales et compromettre la santé d'un organisme entier. L'on perd de vue, enfin, que le vrai, lorsqu'il est jumelé avec le faux joue un rôle paradoxal : il le cautionne.

Le vrai devient l'introducteur du faux, son bouclier et son masque.

Vu sous cet angle, la présence de vrai et de faux dans les colonnes du *Monde* ne saurait être aussi anodine que le prétendent ses zélateurs en arguant de leurs volumes respectifs — imposant pour le vrai, apparemment insignifiant pour le faux. Il n'y a pas entre eux coexistence parallèle et indépendante, mais interaction réciproque, à l'avantage de l'efficacité du faux.

Cette situation de fait entraîne une série de questions. Le faux est-il intentionnellement mêlé au vrai, pour bénéficier de son crédit ? Le vrai enrobe-t-il le faux comme, dans une pilule pharmaceutique, l'excipient cache au regard et au goût le produit actif et permet de le faire mieux avaler ?

Une première indication — troublante — apparaît dès que l'on examine le visage que prend le faux dans *le Monde*. En effet s'il y surgissait à l'état pur, on concéderait qu'il n'entretient pas de lien avec le contexte. Il apparaîtrait comme une imprévisible aberration aux conséquences limitées. On le mettrait au compte de la bonne foi abusée ou, au pis, d'un accès passager de mauvaise foi. On penserait que le journal a méconnu la vérité, ou n'a pas su la découvrir.

Or le faux, dans *le Monde,* est le plus souvent d'une essence radicalement différente. Loin d'ignorer la vérité, il la prend en considération pour s'adapter à elle. Loin de s'en écarter, il s'efforce de la serrer au plus près, et d'y adhérer, comme une invisible tunique de Nessus. Loin de la repousser en bloc, il va lui emprunter des éléments. Loin d'être sans rapport avec la vérité, il évoluera en fonction de celle-ci. Il ne va pas nier la vérité : il va la fausser. Il ne va pas la faire disparaître : il va la maquiller.

Et c'est ainsi que *le Monde* peut se flatter d'avoir donné naissance à un hybride parfait : la pseudo-vérité ou, si l'on préfère, le crypto-mensonge. La nature de la pseudo-vérité explique largement pourquoi le faux, dans les colonnes du *Monde,* demeure si difficile à caractériser : il est protéiforme. Il change au gré des circonstances. On peut accumuler des exemples définis mais non des exemples définitifs. Pourquoi ? Cela tient d'abord à l'essence du journal. Il joue à cache-cache avec la vérité. Il joue à cache-cache avec le faux. Il jouera aussi à cache-cache avec lui-même, sous une collection de masques gigognes.

CHAPITRE VII

DUALITÉ ET DUPLICITÉ

La nature du journal est profondément ambivalente. Tantôt il se présentera comme un tout, tantôt, comme un rassemblement de composants hétérogènes.

Il se présente comme un tout dès qu'il s'agit de tirer gloire et profit d'une tradition vieille de plus de trente ans, pour faire référence à lui-même, pour se citer (« voir *le Monde* du... »). Défense de laisser entendre qu'il n'a plus aujourd'hui rien de commun avec le journal d'Hubert Beuve-Méry. Défense de mettre en doute la supériorité de son éthique, la bonne foi de l'un de ses collaborateurs : c'est crime de lèse-majesté.

Et prière de respecter l'autorité morale et spirituelle qu'il se décerne d'office : comme les Saintes Ecritures, le doute, ni l'examen critique, ni l'ironie sacrilège ne sauraient l'atteindre.

En revanche, il abdique sur-le-champ toute prétention à l'unité et à la cohésion dès que l'on met en cause sa responsabilité et ses buts. On ne trouve plus alors en face de soi qu'une société anonyme à responsabilité diluée. Son équipe dirigeante a une trop haute idée de la presse, du droit des journalistes à la liberté d'expression pour intervenir dans la confection de leur copie. L'on ne saurait s'en prendre à elle si jamais l'orientation des articles est unilatérale ; il ne faudrait y voir que l'action du hasard — ou, à la rigueur, des pesanteurs sociologiques, dont la nécessité s'impose de façon toute newtonienne.

Car aucun esprit de système ne régit le journal ; aucune pensée ne préside à son élaboration et ne détermine ses fins, et à plus forte raison, aucune arrière-pensée. Soupçonner le contraire serait se livrer à un procès d'intention inadmissible. L'orientation générale du *Monde* réside dans sa vocation pour le Vrai, le Beau, le Bien — pour le règne de la Justice, pour le Progrès social, pour la Libération des hommes. Elle inspire, chacune pour son compte, les individualités qui le composent. Il faut être fasciste pour imaginer une insidieuse conspiration de fait propre à miner les esprits, à saper les institutions ou à ruiner la paix civile. Il faut être stalinien, pour y voir une sournoise entreprise de mystification menée par et pour des bourgeois à la jugeote déboussolée.

Il faut tout simplement avoir la berlue pour s'imaginer que *le Monde* forme une entité responsable de ce qu'elle exprime : sa main droite ignore ce qu'écrit sa main gauche et ce que chacune écrit n'engage qu'elle.

Etrange dualité ! Etrange *Janus bifrons !* Etrange Phénix qui se réduit en cendres et ressuscite selon les besoins de la cause !

Pourtant, il est de fait que *le Monde* est et n'est pas un tout.

C'est ainsi qu'il existe, rue des Italiens, une minorité de journalistes — de plus en plus mince — demeurés fidèles à la conception du journal telle qu'ils l'ont connue et telle qu'elle prévalait au temps où Hubert Beuve-Méry le dirigeait. Ils s'expriment encore comme ils l'eussent fait dans le passé, sans tenir compte des articles voisins, même des plus irritants. Leurs textes, comme celui de certains collaborateurs épisodiques, sont d'une qualité sûre. Du coup, leur sérieux rejaillit sur l'ensemble de la publication. Mais cette indifférence à l'entourage n'est pas sans inconvénient. Ils sont amenés à pencher tantôt d'un côté et tantôt de l'autre — la vérité et le bon droit n'étant jamais situés continûment et exclusivement d'un seul bord. Ce faisant, tantôt ils apportent l'apparence d'un contrepoids à la tendance générale du journal, tantôt ils accentuent, bien involontairement, son déséquilibre. Dans ce second cas, ils risquent d'être confondus avec ceux des membres de la rédaction qui donnent des coups de pouce afin de donner de l'avantage au même plateau de la balance.

Avec ces derniers, inféodés à un système de pensée partisan, c'est délibérément que les informations douteuses, fausses ou demi-fausses vont conquérir droit de cité et être amalgamées au vrai qui doit leur servir de caution, les dissimuler au regard et leur permettre d'agir efficacement.

Entre la position du journaliste qui continue de faire son métier à l'ancienne mode du *Monde* et celle du truqueur de l'information, il se déploie, rue des Italiens, toute une palette intermédiaire. Les uns, emportés par l'ambiance générale, suivront le courant. D'autres constateront qu'il est de leur intérêt professionnel d'aller au gré du vent — et de ne pas courir le risque d'être jeté à bas par ceux qui le soufflent. Pour d'autres encore, il n'y a plus de raison de s'épuiser à de laborieuses vérifications au sujet des informations. Du moment qu'elles iront dans le sens souhaité, elles seront bien accueillies et aussitôt imprimées ; si jamais leur justesse n'est qu'approximative, on ne leur en tiendra pas rigueur alors qu'on leur reprochera (et désagréablement) la moindre inexactitude à l'intérieur d'un article allant à contre-courant.

❀

La duplicité commence dès que *le Monde* nie l'ambivalence de sa rédaction. Dès qu'il prétend que le crédit gagné par les uns soit étendu à tous. Dès qu'il interdit d'envisager la réciproque, qui conduirait à se demander si le discrédit mérité par une bonne partie des rédacteurs ne devrait pas, aussi, rejaillir sur l'ensemble...

Pourtant cette duplicité est elle-même ambiguë. Car, chez les dirigeants de la rue des Italiens, elle ne consiste pas seulement à cacher à l'extérieur que le caractère du journal a changé, mais surtout à se cacher qu'un tel changement est intervenu. Puissant effet du besoin de bonne conscience...

Celle-ci suppose que ne soit point ternie à leurs propres yeux l'image qu'ils se sont faite d'eux-mêmes à l'époque où *le Monde* était encore *le Monde.*

Afin de se rassurer, ils s'accrochent à des similitudes d'ordre externe : *le Monde* de Beuve-Méry, lui aussi, a été attaqué pour ses prises de position sur la guerre d'Indochine, sur la CED, sur l'Algérie et les critiques qu'il subit aujourd'hui, aiment-ils penser, sont de la même veine ; *le Monde* de Beuve-Méry, lui aussi, a dû faire face à des assauts, notamment lorsqu'il lui fut suscité, en 1956, un éphémère concurrent, *le Temps de Paris,* dont il a légitimement triomphé.

Quant aux assurances d'ordre interne, ils se les procurent en réservant une part à la vérité dans les questions avec lesquelles le journal triche, quitte à l'installer après coup dans un coin, ou à la livrer en morceaux épars : peut-on prouver après cela qu'elle n'a pas été dite quelque jour à quelque endroit ?

Piètres fards, néanmoins.

Hubert Beuve-Méry prônait — selon sa propre expression — la « réforme et non le chambardement ».

Le Monde de Beuve-Méry avait des positions affichées et non pas implicites et tortueusement camouflées. *Le Monde* de Beuve-Méry ne s'abandonnait pas aux tendances générales de son époque : *le Monde* d'aujourd'hui est un journal à la mode. *Le Monde* de Beuve-Méry distinguait l'information (« sacrée ») du commentaire (« libre ») : *le Monde* d'aujourd'hui les mélange sans retenue et au besoin accommode les faits pour justifier les commentaires. *Le Monde* de Beuve-Méry, lorsqu'il a été en butte aux manœuvres de quelques gouvernements de la IVe République ou lorsqu'il aurait pu être menacé par l'apparition du *Temps de Paris* a été soutenu par des lecteurs dont beaucoup sont de ceux qui expriment des réserves sur *le Monde* d'aujourd'hui.

Le Monde de Beuve-Méry, enfin, et pour parler net, affirmait son souci d'honorer la vérité : il ne lui réservait pas la part du pauvre. On ne l'eût point vu traiter à la légère tant de sujets, susciter tant d'étonnements, et de protestations, puis multiplier à l'infini les mises au point. Ces mises au point, quand elles ne sont pas reléguées dans un coin de page, donnent abusivement l'apparence, en rouvrant les débats, en accueillant les objections et la contradiction, de s'inscrire dans le droit fil du comportement traditionnel du journal. L'antique comportement du journal voulait qu'il ne s'aventurât pas [1], et non qu'il s'exposât à devoir publier des correspondances à n'en plus finir, à se livrer à une débauche de rectificatifs — procédé dont le seul avantage est de noircir du papier à bon compte. L'antique tradition du journal était de quêter minutieusement la vérité pour s'incliner devant elle et non pas de lui faire, après coup, des courbettes. Parfois distribuées à la sauvette, elles semblent bien plus destinées à servir d'excuses qu'à en

1. Quand *le Monde* de Beuve-Méry a publié, le 10 mai 1952, le rapport Fechteler dont l'authenticité a été contestée, l'événement était si exceptionnel qu'on en parlait encore, des années après, comme d'un cas unique.

présenter. Elles sont rejetées aux oubliettes dès qu'elles ont rempli leur mission, qui est de sauver la face. Le mouvement de va-et-vient par lequel *le Monde*, après deux pas en avant, en effectue un autre en arrière, n'apporte en outre qu'une illusoire impression de pondération. Il s'interpréterait aussi bien — et sans doute mieux — comme la manœuvre par laquelle le journal s'exerce à découvrir jusqu'où il peut aller sans ternir définitivement son image.

Mais les hommes qui dirigent l'entreprise détournent les yeux des causes profondes qui entraînent les cascades d'errata et les numéros d'amende honorable. Ils s'en déguisent même la nature. La relative faiblesse quantitative de ces palinodies par rapport à la masse appelle, à leur avis, l'indulgence et cette indulgence doit intervenir encore dès qu'il s'agit de les qualifier. Le mensonge devient une étourderie, la fraude une interprétation hâtive, l'omission, un oubli. Ainsi maquillés, ils peuvent se confondre dans l'innocente cohorte des fautes de transmission, d'impression, d'orthographe, de chiffres, de dates, de noms qui défilent au jour le jour en colonnes par six, mais qui, le lendemain, seront sévèrement passées en revue pour montrer combien la maison a le souci de la tenue.

Car *le Monde* a des défauts passagers, soit. Mais il ne saurait être pris en défaut. Il y va, cette fois encore, du maintien de la réputation d'infaillibilité qui auréolait le quotidien de jadis. Peu importe si cette réputation-là découlait du sérieux des nouvelles, de la prohibition des appréciations hasardeuses ou des jugements approximatifs. Aujourd'hui, pour la soutenir, on en fait un dogme. *Le Monde* se décrète infaillible dans l'absolu envers et contre tout, envers et contre tous. Le dernier mot doit toujours lui revenir. Que les apparences ne lui fournissent pas l'avantage dans le moment, les réalités lui donneront raison dans l'avenir. Si ce n'est pas le cas, il se consolera à la façon de ce notable radical qui, avant guerre, décrétait : « si les événements viennent à infirmer trop brutalement nos prédictions et à punir notre aventure orgueilleuse, nous nous consolerons éventuellement en songeant qu'ils ont eu tort. »[1]

La formulation des plus modestes rectificatifs ne manque pas d'être elle-même naïvement révélatrice de cette superbe prétention. A les lire, souvent, l'erreur qu'ils corrigent ne serait pas vraiment le fait du journal. Elle lui est extérieure, elle est indépendante de sa volonté : « Une erreur nous a fait dire que... » « Une erreur qui s'est glissée dans nos colonnes... » « Par suite d'une erreur matérielle... » En filigrane, l'erreur apparaît comme le résultat d'une ruse satanique, propre à déjouer la vigilance des plus grands saints. Elle s'est infiltrée au travers des remparts dressés contre elle, elle s'est insinuée dans leurs failles à la façon du serpent. Ou bien encore, plus prosaïquement, elle est due aux contingences de la lourde, de la pesante, de l'affreuse matière venue, comme à son ordinaire, contrarier les desseins de l'esprit pur. Mais dans tous les cas ce n'est pas le journal qui est coupable : c'est l'erreur.

Cependant, comme il est difficile de nier toujours les évidences, d'escamoter toujours les réalités, les dirigeants du *Monde* se sont ménagé une position de repli. Ils consentent alors en privé à adopter le comportement contrit du pécheur : ils devancent les reproches, se frappent la poitrine, se déclarent prêts à s'infliger la haire et la discipline. A peine guettent-ils l'instant où ils entendront protester que cette éclatante humilité est excessive. Ils ne se contentent pas, dans la circonstance, d'un peu de cendre sur le front, ils y enfouissent la tête toute entière. Comme l'autruche dans le sable. L'important est d'éviter de se voir et de voir le journal tel qu'il est. Car si *le Monde* voyait ce qu'il est, il ne pourrait plus continuer de l'être avec sa bonne conscience coutumière : il serait amené à l'être avec hypocrisie. Quelle horreur ! M. Jourdain faisait de la prose

1. M. Gaston Maurice.

sans s'en douter : les dirigeants du *Monde* veulent être Tartuffe sans le savoir.

Etrange variété que celle du crypto-Tartuffe. Il entend se réserver à la fois les avantages de l'hypocrisie et ceux de la sincérité. Il déteste par-dessus tout qu'on lui tende un miroir. Les docteurs disputeront sans fin le point de savoir s'il procède de la tartufferie à un degré secondaire ou à un degré double. Les uns soutiendront que le désir d'ignorer son état confère au crypto-Tartuffe une demi-innocence. Les autres, au contraire, que l'hypocrisie est double à partir du moment où Tartuffe s'efforce de se tartuffier lui-même. Le crypto-Tartuffe partage néanmoins plusieurs traits avec l'espèce commune — Tartuffe vulgaire. Comme lui, il accuse ses adversaires d'être mus par la volonté de lui nuire : assurément, c'est lui nuire que de le percer à jour. Lui arrache-t-on le loup qui lui colle à la peau, il crie qu'on l'écorche : il est certain qu'on lui fait mal et qu'il faut alors résister à la tentation de se montrer pitoyable. Le dénude-t-on, dévoile-t-on ses ressorts : il gémit que c'est un viol, une atteinte intolérable à sa vie propre, il est prêt à mobiliser tous les exempts de la terre...

CHAPITRE VIII

LES METAMORPHOSES DE TARTUFFE

Tartuffe n'est pas fils du hasard. Il a vu les bénéfices qu'attire la vraie dévotion, il a trouvé qu'ils récompenseraient bien plus normalement la fausse puisque la vraie est censée les dédaigner. Mais il n'est pas un authentique inventeur. Il s'est barbouillé de religion au point de n'être guère capable de concevoir de tromperie qui ne repose sur elle. Mais, en même temps qu'il lui emprunte les dehors, le vocabulaire, les gestes, qu'il sacrifie extérieurement à ses rites, il en révèle la faiblesse : pur, resplendissant, invulnérable, le modèle se serait moins bien prêté à des contrefaçons.

Ce n'est pas par hasard non plus que le crypto-Tartuffe a fini par naître rue des Italiens. Dans ses manières, dans ses modes de penser il montre combien il a subi l'empreinte du vieux fonds chrétien qui a présidé à la fondation du journal. Avant de se dénaturer, ce fonds n'était dépourvu ni de valeur ni de mérite. Il influençait indirectement la ligne de conduite et de pensée, ainsi que le comportement professionnel de ceux-là mêmes qui, au sein de l'équipe, se tenaient à l'écart de la foi ou de la pratique. L'emploi du mot

« sacerdoce », pour définir la fonction du journaliste et plus particulièrement du journaliste du *Monde* n'était pas fortuit. Sans doute indiquait-il, avec un humour de bon aloi, que le rédacteur, financièrement, devrait se satisfaire de la portion congrue. Mais il affirmait la dignité de la conception du métier : le respect de l'information était religieux ; et chacun se sentait tenu de se dévouer corps et âme au journal. Dans cette catéchèse étaient instruits les nouveaux venus dans l'équipe.

Or, ce passé-là éclaire tout un pan de l'édifice du *Monde* actuel. En s'évaporant, l'esprit originel a laissé une trace. Du sacerdoce, le journalisme est tombé dans la cagoterie et ses faux-semblants ; le culte de l'information, simple, clair, dépouillé, a fait place aux simulacres et à l'imagerie. Plus le magistère moral est devenu illégitime, plus il a fallu le consolider : les éditoriaux virant au sermon, les commentaires drapés dans le prêchi-prêcha se sont multipliés *comme des petits pains*. Moins le journal est devenu exemplaire, plus il a éprouvé le besoin de se donner en exemple aux autres.

⁂

Le plus navrant est que le crypto-Tartuffe a progressivement adopté la mentalité chafouine du vrai Tartuffe. Il manie les précautions oratoires avant de s'aventurer dans l'insinuation ; il pratique le balancement du pour et du contre, qui feront louer sa réserve et sa retenue dans le jugement. Il cultive le talent de paraître irréprochable. Le mot, le simple mot, qui aiguillera l'esprit dans la direction qu'il souhaite, il l'avance comme le pion sur lequel le joueur d'échecs garde un doigt : si jamais le terme vient à être vertement relevé, il reviendra en arrière, déplorera ce qui n'a été qu'une impropriété de vocabulaire, s'excusera de sa gaucherie : qui lui en voudrait pour si peu ? Et d'abord, quelle expression eût-on employé à sa place ? S'il calomnie, ce sera, de préférence, par personne interposée. Il reproduira ingénument un communiqué : lui ferait-on grief de pratiquer l'hospitalité ? Il se fera l'écho d'un article paru dans un autre organe de presse : depuis quand la confraternité devrait-elle être tenue pour peccamineuse ? Il produira des lettres de lecteurs, dont il n'a eu garde de vérifier le bien-fondé : mais de quel droit eût-il mis en doute la parole de ceux qui viennent se confier — ou se confesser — à lui ?

Et, puisque le crypto-Tartuffe ne sait, à l'instar du « Tartuffe vulgaire », contrefaire d'autre comportement que celui des hommes de l'Eglise, c'est aux plus déplorables errements de l'Eglise qu'il se met à emprunter. Il devient scolastique, inquisiteur, jésuitique.

Scolastique, il élabore un nouveau type de sophisme. Tandis qu'il paraît s'en tenir à un registre qui est celui de l'intellect, il fait à l'improviste vibrer une corde émotive, ce qui viendra combler les vides de la démonstration et lui conférer une apparente harmonie. Le procédé sera d'autant plus efficace que l'on s'adressera à des lecteurs sensibles aux limites de la pensée rationnelle et à l'écoute des apports de l'intuition et de l'affectivité. Le crypto-Tartuffe profitant alors de son ouverture d'esprit établira une sourde confusion entre les deux registres... Leur subtil mélange passera inaperçu auprès de qui n'y prend pas garde : mais aucune vigilance n'est continuelle et c'est alors autant de gagné pour le point de vue que le crypto-Tartuffe entend faire prévaloir.

Inquisiteur, sous couvert de défendre la morale, il en fait, non plus une règle à laquelle il est soumis, mais une arme. Il se réserve de la brandir ou de la laisser au repos selon les besoins. Il prétend en conserver l'exclusivité. Malheur à qui la dirigerait contre lui : il commettrait un empiètement sur son privilège. Inquisiteur encore, il s'accorde le droit d'examiner l'intérieur de la maison d'autrui, avec un œil particulièrement scrutateur si celle-ci représente une institution concurrente.

Il ne le cède en rien aux jésuites, tels qu'ils sont stigmatisés dans *les Provinciales* dans l'art de polir de subtils *distinguo,* à travers lesquels il enseigne dans quel cas le terrorisme est une abomination et dans quel cas, tout en le déplorant, il faut s'efforcer de comprendre les mobiles qui l'ont inspiré ; dans quel cas la prise d'otages relève de mœurs intolérables et dans quels cas il faut concéder que les opprimés sont réduits à de tels moyens pour vaincre l'indifférence ; dans quel cas le vol est un délit méprisable et dans quels cas la responsabilité en incombe principalement au volé ; dans quels cas les régimes militaires sont une tyrannie et dans quels cas ils sont dignes de sympathie ; dans quels cas les polices sont oppressives et dans quels cas leur action contribue à la libération du peuple ; dans quels cas les abus doivent être sur-le-champ stigmatisés et dans quels cas il ne faut pas se hâter de les dénoncer, de peur, en s'exposant à commettre un jugement téméraire, de nuire inconsidérément à une cause respectable.

Pour compléter le tableau, *le Monde* du crypto-Tartuffe s'inspire des leçons de l'Eglise modernisée. En même temps qu'il observe avec une pieuse attention la moindre tentative pour intégrer Karl Marx à l'Evangile (comme si le succès, en la matière, devait le délivrer enfin d'une douloureuse dualité, d'un cruel conflit interne), il fait son aggiornamento. Il agrémente sa présentation. Il aborde les fantaisies du sexe. En conservant toutefois la distance convenable : « Montrez ce sein que je ne saurais voir. » Car il ne saurait dépasser certaines limites. On peut, du reste, à peu près situer celles-ci. Pas trop loin pour conserver la réputation d'austérité : la lecture du journal doit conserver le goût d'une pénitence. Assez loin pour persuader que le quotidien sait suivre l'évolution des mœurs et des esprits et que sa nouvelle ligne générale ne correspond à rien d'autre qu'à cette adaptation — et qu'elle n'est, par conséquent, en aucun cas une répudiation, une trahison du passé.

Cependant, à peindre *le Monde* sous les couleurs d'une entreprise imprégnée au départ de valeurs chrétiennes et s'étant complaisamment accommodée de leur dégénérescence l'on s'expose à des objections. Une part fort importante, sinon principale, des collaborateurs du journal d'aujourd'hui n'a connu ni les débuts du quotidien ni même *le Monde* d'Hubert Beuve-Méry ; beaucoup ne sont pas croyants ; d'autres enfin ne sont pas d'origine chrétienne. De plus, les nouveaux éléments sont presque tous fervents d'idéologie révolutionnaire. En d'autres termes, beaucoup sont gauchistes, ou, à tout le moins, sympathisants du gauchisme. Comment tous ceux-là pourraient-ils en rien avoir des dispositions à la cagoterie, à la crypto-tartufferie, aux *distinguo* de la casuistique ?

Ce genre d'objection néglige deux faits. D'une part, *le Monde* a hérité d'un moule et ce moule, même s'il n'est plus qu'une coquille vide, impose toujours sa forme. D'autre part, il existe un certain nombre de points de rencontre entre le caractère du crypto-Tartuffe et celui du gauchiste.

Le crypto-Tartuffe, par le biais de ses origines, est porté à considérer que cette terre est foncièrement corrompue et mérite d'expier ; la vérité, la vraie vie se situent dans un au-delà. Le gauchiste flatte son penchant. Il déteste l'univers qui l'environne, refuse toute réconciliation avec lui, toute récupération par lui ; il aspire à l'abolir pour le transformer de fond en comble. Et il situe mystiquement la vérité dans un ailleurs, dans un au-delà des apparences.

Rien de plus caractéristique à cet égard que le parti qu'il tire de l'idée de la relativité de la vérité. Ce concept, qui, en soi, est difficile à récuser, trouve avec lui un emploi particulier. La relativité de la vérité cesse d'être entendue au sens où elle était prise lorsqu'elle a fourni la matière à d'innombrables dissertations aux élèves des classes de philosophie des générations passées. Elle est utilisée pour convaincre le lecteur qui relève une inexactitude ou une déformation des faits que ce n'est pas l'auteur de l'article, mais lui-même, pauvre lecteur, qui a l'esprit faussé. Car il subit, sans le savoir, l'influence et le conditionnement de l'« idéologie dominante » et de sa morale ; il ne s'est pas rendu compte que les évidences anodines sont pleines d'arrière-plans ; que les raisonnements qu'il croit les plus simples sont lourds de prémisses implicites qui, à son insu, déterminent ses conclusions ; il ignore qu'il n'y a pas de constatation de sa part, fût-elle aussi banale que deux et deux font quatre, qui puisse se réclamer d'une totale innocence ; que son regard lui-même ne saurait se prévaloir du « je l'ai vu, dis-je, vu, de mes propres yeux vu », bien périmé depuis que l'on sait que ce regard révèle de toute manière l'inconscient et les œillères insoupçonnées de celui qui l'a porté. Le lecteur devrait songer avant tout à remercier l'auteur : l'inexactitude et la déformation des faits ont pour objet de corriger d'avance les éventuelles erreurs d'optique et, par conséquent, d'appréciation ou de jugement que, sans cela, il aurait risqué de commettre. Les opticiens universels de la rue des Italiens, n'ont, bien entendu, aucune pudeur à contredire le principe de relativité de la vérité initialement posé, en s'accordant, outre la science infuse des réalités absolues, la mission d'écarter le voile trompeur des apparences et d'arracher des paupières d'autrui les écailles du préjugé. Mais c'est que, précisément, ce don, ce charisme leur ont été dévolus. Ils savent, eux, sonder les reins et les cœurs et faire le partage entre les purs et les impurs, entre les gens bien et les gens mal intentionnés, entre ce qu' « il est permis de penser » et ce qu'il ne faut pas penser. Lorsqu'ils parlent, la notion de relativité de la vérité doit s'éclipser. Elle ne saurait les concerner. Ils savent, eux, quand la vérité n'est qu'un moyen d'asservir les hommes et quand elle devient propre à favoriser leur affranchissement. Et puisqu'ils ne sont soumis à aucune idéologie dominante (et se contentent, par voie de conclusion, d'être les apôtres d'une idéologie brimée), la vérité, leur vérité, peut légitimement, pour s'imposer, faire appel aux moyens un instant plus tôt décriés. Tout d'un coup, voici que la morale courante, la plate évidence, le fait prosaïque sont invoqués, sans qu'on se préoccupe davantage de savoir s'ils ne sont point piégés. Subitement, il est fait appel à la vertu de témoignages dont on ne se soucie plus de connaître s'ils ont été préalablement orientés ou non par quelques œillères.

Mais le gauchiste de la rue des Italiens dans l'exercice de son prosélytisme ne va pas seulement s'investir de l'onction sacramentelle de ses maîtres : il s'assimilera le vade-mecum de la papelardise.

Il ne manquera pas, en parlant de lui-même, d'user du « nous » — ecclésial pluriel de majesté. Lorsqu'il louera, lorsqu'il blâmera, lorsqu'il bénira, maudira, exorcisera, il affirmera la certitude de s'exprimer au nom d'une maxime universelle. Lorsqu'il « déplorera que... » « regrettera que... » son ton conviera le chœur des (fidèles) lecteurs à s'associer à la déploration et aux regrets avec la pressante insistance des faire-part. A d'autres occasions, inversement, il laissera entrevoir avec quelles restrictions mentales ses réprimandes sont émises.

Regardez bien en quels termes, par exemple, il condamne les attentats par explosifs contre les locaux de deux journaux et d'une organisation sociale confessionnelle : « *Le Monde* se doit de dénoncer de tels attentats qui auraient pu être mortels sans avoir la moindre chance de persuasion auprès de ceux qu'ils visent [1]. » « *Le Monde* se doit de dénoncer... » pourquoi

1. *Le Monde* du 6 février 1975. A propos d'un attentat qui venait d'avoir lieu à *Minute*, l'auteur de l'article mentionnait ceux qui avaient déjà visé cet hebdomadaire, l'un en 1972 (un éboueur algérien avait

cette formule ? *Le Monde* serait-il gêné de condamner tout simplement, catégoriquement, au nom des règles d'une société civilisée et non de ce qu'il *se doit* à lui-même ? « Qui auraient pu être mortels *sans avoir la moindre chance* de persuasion auprès de ceux qu'ils visent... » Que cache cet amphigouri moralisateur ? Pourquoi ce besoin de mettre en rapport les « chances de persuasion » des attentats et le devoir de les dénoncer ? Impliquerait-il que si ces chances avaient existé, au lieu d'être nulles, les « attentats », tout en risquant d'être mortels, auraient été moins absurdes, et donc, plus compréhensibles ? A quelle partie de la clientèle du *Monde* ce genre de propos s'adresse-t-il ? Il ne trouve ni raison d'être ni signification auprès du lecteur qui réprouve sans détours et sans ambiguïté le recours à la violence.

Cependant tout en tirant sa révérence à la morale, notre gauchiste n'admettrait pas de s'en dire privé. Mais dans l'observation de ces préceptes, il adopte une duplicité qui lui est particulière et qui diffère sensiblement de celle du crypto-Tartuffe.

Le crypto-Tartuffe se dédouble. Lui, il se coupe en deux ; il s'organise une sensibilité d'hémiplégique. Les victimes se partageront désormais en deux catégories :

été grièvement blessé) l'autre en août 1974. Le rédacteur rappelait qu'à cette même date, *l'Aurore* et le Fonds social juif unifié avaient été frappés.

On comparera le style de la « dénonciation » émise par *le Monde* à celle de *l'Express* (10-2-75), à laquelle l'auteur de ce livre souscrit pleinement :

> « Les locaux du journal *Minute* ont été saccagés par une explosion le matin du 5 février. La charge explosive, de forte puissance, n'a causé que des dégâts matériels importants. Mais elle aurait pu tuer.
>
> « *L'Express* tient à condamner publiquement et sans aucune réserve cet acte barbare. *Minute,* dont tout, politiquement, nous sépare, porte témoignage chaque semaine que la liberté d'expression ne peut être valable pour les uns sans être valable pour tous. Toute violence exercée contre cette liberté concerne tous ceux qui s'en réclament. »

les victimes innocentes et les victimes tout court. Les massacres se diviseront en deux genres selon qu'ils vont ou non dans le sens de l'Histoire. Les atteintes à la liberté se répartiront entre celles qui la font progresser et celles qui la font reculer. Mais notre gauchiste a soin de s'apitoyer et de stigmatiser dans tous les cas. La différence est que son élan sera tantôt immédiat, tantôt différé ; tantôt spontané, tantôt exprimé avec recul. L'universalité des principes dont il fait parade exige qu'il pleure sans exception sur tous les malheurs et toutes les misères de l'humanité. Qui, à moins de lui faire un procès d'intention, oserait discriminer entre ses larmes, et dire que les unes, d'indignation, de colère, ou de rage, coulent de source, tandis que les autres sont de crocodile ?

Mais le manichéisme, s'il offre des assises confortables, expose néanmoins à bien des incommodités les fessiers délicats. Dans la complexité mouvante du siècle, la cause qui valait hier d'être soutenue devra le lendemain être abandonnée, le personnage porté au pinacle sera voué aux gémonies. De plus la sympathie ou l'antipathie appellent des degrés : elles seront relatives ou absolues selon que celui qu'elles concernent sert un peu, beaucoup, passionnément ou pas du tout l'eschatologie révolutionnaire — et cette graduation sera elle-même soumise à des variations au gré des circonstances. Pour savoir à quel saint se vouer sans péril, le gauchiste de la rue des Italiens s'inspire d'une hiérarchie dont les subtilités offrent un décalque de l'angelologie et de la démonologie.

Il adoptera, bien sûr, des principes de base. Sa dévotion ira, en France, à toutes les manifestations d'opposition ; dans le conflit du Moyen-Orient, au point de vue des Arabes et surtout des Arabes « progressistes » ; dans la lutte idéologique, au socialisme et à la révolution. Mais tous les objets du culte n'occuperont pas la même situation sur les autels.

A l'intérieur de l'opposition française, le PC sera

installé dans une niche inaccessible : défense au public d'y toucher (l'anticommunisme est un péché) ; et défense au PC d'en sortir sans permission (il doit savoir rester à sa place et on ne compte pas totalement sur lui pour faire des miracles).

L'aile gauche du PS sera placée plus haut que son aile droite, quitte à lui donner la dégaine d'un chérubin atteint de scoliose.

François Mitterrand, qui n'est guère apprécié pour lui-même, sera admis à être le porteur de la bannière de l'unité de la gauche : elle est jugée dérisoire mais commode. Et les militants des groupuscules gauchistes se verront assigner le rôle d'angelots sans corps qui lui feront cortège en soufflant pour l'agiter un peu.

Dans le conflit du Moyen-Orient, de la même manière, la Syrie — pour ne citer qu'un cas — aura le pas sur la Jordanie suspecte. Sur l'échiquier mondial, l'URSS aura moins de respectabilité que la Chine ; les pays du tiers monde lorsqu'ils se seront rapprochés du camp socialiste deviendront des pauvres plus méritants que ceux qui s'en tiendront à l'écart.

A l'autre pôle, la démonologie dressera ses classifications. La majorité silencieuse sera inscrite en bonne place dans la liste des suppôts de Satan : son nom est légion.

Quant à la majorité tout court, c'est bien pis. Elle est par excellence le séjour des démons. Elle les enfante, elle les sécrète. Par définition le ministre de l'Intérieur en est un et on ne l'évoquera qu'au milieu de vapeurs sulfureuses.

A travers les continents le pied fourchu de la CIA, diable des diables — puisque les Etats-Unis représentent l'abomination de la désolation — inspire aux âmes confites des frissons infiniment redoutables : elle est encore plus rebelle aux exorcismes que le lourdaud KGB.

Dans cet univers obsessionnel et dantesque, Israël sera logé au dixième sous-sol : on approuvera en s'en réjouissant que les juifs aient été lavés de l'accusation de déicide qui n'émeut plus personne et on y substituera celle de génocide qui fait autrement recette.

On n'en finirait pas s'il fallait brosser le tableau complet des anathèmes et des bénédictions établi par le gauchiste de la rue des Italiens afin de disposer toujours d'un barème au moment de fixer ses jugements

Par-dessus le marché, pour en compliquer la lecture, ce barème est mobile. Des promotions, des rétrogradations interviennent. Des grâces provisoires sont accordées. Les gaullistes de stricte obédience sont rappelés de l'enfer, où ils étaient confinés depuis des lustres, pour être admis à un séjour au Purgatoire : de là, ils feront mieux pièce au giscardisme. Soljenitsyne, porté aux nues tant qu'il ne met en cause que le stalinisme et ses séquelles est rejeté peu à peu au bas de l'échelle — à mesure qu'il se confirme qu'il incrimine l'essence même du système communiste. Le sort du prince Sihanouk en 1975 est demeuré longtemps en suspens : personnage décrié avant le printemps de 1971, il a été écouté avec l'attention due aux prophètes dès qu'il a eu rallié le camps des Khmers rouges ; quand ceux-ci, victorieux, ont paru vouloir se passer de lui, une pudique hésitation a entouré sa personne.

Des hauts et des bas comparables sont réservés aux damnés de la terre qui pourraient s'y attendre le moins. Le peuple portugais passe du sublime à l'arriération du jour où il se refuse de suivre aveuglément la houlette du MFA, du PCP et des gauchistes. En France, les vertus et l'abnégation des vieillards sont vantées pour mettre en relief l'indifférence et l'ingratitude des pouvoirs publics à leur endroit. Mais les intentions de vote qu'ils révèlent en mai 1974 servent à une peinture dépréciative de l'électorat de Valéry Giscard d'Estaing : il a les voix de tous les gâteux !

Le crypto-Tartuffe a vraiment de quoi s'extasier d'avoir de tels disciples ! Une providentielle rencontre des caractères exclut toutefois une communion totale.

Le gauchiste de la rue des Italiens réserve de temps à autre de douloureuses surprises au crypto-Tartuffe. Car celui-ci, qui cultive un jardinet de sincérité au milieu de son hypocrisie, possède une part de jobardise.

Il s'attend qu'on le loue de sa sage administration lorsqu'au cours de l'hiver 1974-1975 il annonce qu'il a obtenu et négocié la clientèle de deux hebdomadaires qui se feront imprimer sur les machines du *Monde* à Saint-Denis. Ils rapporteront, explique-t-il, beaucoup d'argent, ils permettront d'amortir les investissements et d'arrondir encore les bénéfices de l'institution de la rue des Italiens. Eh bien ! non. L'ingrat gauchiste proteste lorsqu'il entend le nom de deux titres : *France-Dimanche* et *Ici Paris Hebdo*. C'est en vain qu'on lui représente que l'argent n'a pas d'odeur. C'est inutilement qu'on lui promet que rien ne lui interdira non seulement de continuer de penser, mais de continuer d'écrire, qu'il s'agit de deux journaux ignobles et que ceux qui se font leurs complices en les achetant ne le sont pas moins. Le gauchiste ne se laisse pas convaincre. Il oppose son veto. Il extirpe du musée les anciens principes du *Monde* ; il rallie à lui les confrères, qui, faute d'avoir pu s'en faire les défenseurs, s'en sont fait les conservateurs. Le crypto-Tartuffe cède.

En retour, il obtiendra, en une autre occasion, que le gauchiste renonce à maltraiter, en les qualifiant de réactionnaires, tels ou tels potentats. Ils donnent si bien à la quête ! Ils font si bon accueil aux démarcheurs de la publicité !

Ces petites concessions consacrent des liens.

L'échange de bons procédés ouvre la voie de l'osmose morale : le gauchiste et le crypto-Tartuffe vont s'influencer réciproquement.

Le premier a donné dans la chattemite pour complaire à ses maîtres. S'affublant de leur style et de leurs tournures endimanchées, il s'est engoncé. Il a partagé leur mépris méfiant pour l'impie *Canard Enchaîné*. Il a troqué le moulin à paroles contre un moulin à prières et substitué la litanie aux imprécations. Il a appris la patience pour distiller un venin autrement efficace que l'éclat des pétards. Il s'est fait byzantin. Bref, il s'est assagi : il s'est intégré. Et sous la carapace et la dorure des ornements cérémoniels, il a fini par se prendre tout à fait au sérieux.

En récompense de sa diligence à sacrifier aux rites, le crypto-Tartuffe l'a pris sous son aile tutélaire. Même si cette dernière est passablement déplumée, elle est toujours censée procurer une protection. Après avoir couvé le gauchiste, le crypto-Tartuffe le défend toutes griffes dehors : de là à l'approuver, le pas est vite franchi.

Et c'est ainsi qu'on a assisté à une double métamorphose rue des Italiens. Le gauchiste s'est transformé en crypto-gauchiste. Et le crypto-Tartuffe, en vrai Tartuffe.

CHAPITRE IX

DE *REPUBLICA* OU LA NATURE DU PRINCE

La dualité et la duplicité du *Monde,* sa mobilité chatoyante, son art de se dérober font que le journal est rarement pris à partie. Josette Alia — qui a appartenu pendant de longues années à la rédaction de la rue des Italiens — explique assez bien les raisons de cette invulnérabilité. « De toute façon, écrit-elle dans *le Nouvel Observateur* (N° 555-30 juin 1975), on n'a jamais rien à reprocher au *Monde.* Ou, plutôt, on ne *peut* jamais rien reprocher au *Monde,* même quand on bouillonne de griefs que l'on croit justifiés : savamment balancés, poncés, lissés, ses articles escamotent efficacement sous leur coque de rhétorique et d'arguments sans faille des opinions parfois explosives qu'on se briserait les dents à vouloir désamorcer. Y réussirait-on que les fameux « crochets », faussement modestes, accolés à toute protestation, réduiraient férocement à néant tous vos arguments ». Et Josette Alia ajoute : « Les lecteurs, eux, pensent que *le Monde* a subtilement mais certainement changé : le commentaire et l'analyse politiquement orientés l'emportent sur l'information. »

Mais les mécanismes de ce changement subtil sont

rarement analysés : la démonstration est longue... Les lecteurs du quotidien ne trouvent guère comme exutoire à leur irritation que la référence à des phrases cueillies ici ou là. Dans son remarquable essai *Ombres chinoises* (collection 10/18) Simon Leys relève : « Au moment où la disgrâce de Lin Piao était déjà connue de la Chine entière, n'avons-nous pas vu en effet le quotidien-le-plus-sérieux-de-France expliquer le plus gravement du monde que Lin avait toujours la confiance du Grand Timonier et que toute information contraire ne pouvait relever que de ces ragots disséminés à Hong-Kong par les agents de la CIA » (pages 23-24).

Une revue trimestrielle, *Contrepoint*[1], dévoile à l'occasion les tricheries du journal. Elle montre, par exemple, comment celui-ci dénature ou affaiblit la portée de la pensée de Soljenitsyne par des artifices de présentation : « Pourquoi mettre côte à côte (dans le numéro du *Monde* du 21 juin 1974) Soljenitsyne et des propagandistes du PCF? Pour diminuer autant que possible la portée du premier (...). Ce qui est choquant est que cette opération soit présentée comme une preuve de probité journalistique, un service rendu à la vérité historique, pour tout dire comme effort d'objectivité. (...) Cette double page du *Monde*, je la vois comme un exemple remarquable de tartufferie consciente au service d'une politique délibérée...[2] » *Contrepoint* donne encore la parole à Simon Leys[3] qui signale que la nouvelle Constitution (17 janvier 75) de la République

1. Dans le comité de patronage de *Contrepoint* on relève le nom de Georges Vedel, déjà mentionné plus haut. Rappelons que Georges Vedel est « actionnaire » du *Monde* au titre de membre du Conseil de Surveillance .

2. Alain Besançon in *Contrepoint* n° 15.

3. *Contrepoint* n° 19.

populaire de Chine a été « brutalement allégée de l'essentiel des droits de la personne » : « Le-quotidien-le-plus-sérieux-de-France a réussi ce tour de force de publier deux pages entières au sujet de la nouvelle constitution et de cette session à l'Assemblée nationale — *sans toucher un seul mot de cet aspect des choses.* Pudeur admirable — qui cette fois ne saurait entièrement s'expliquer par l'ignorance invincible de son correspondant à Pékin ; après tout, tant le texte de l'ancienne Constitution que celui de la nouvelle étaient accessibles en *français* ».

Mais *Contrepoint* reste une revue composée par une élite pour une élite. Elle se vend principalement par abonnement. Elle coûte vingt francs et son tirage n'excède pas trois mille exemplaires.

Jacques Hermone, dans ses ouvrages intitulés : *La Gauche, Israël et les Juifs* (collection : *La Table Ronde de Combat* — dirigée par Philippe Tesson) dresse un catalogue succinct des travestissements d'information auxquels *le Monde* se livre dès qu'il s'agit de vilipender l'Etat d'Israël. Il note à juste titre que le journal pousse le souci de paraître irréprochable jusqu'à confier quasi exclusivement pareille rubrique à des journalistes d'origine juive — pourtant peu nombreux au sein de la rédaction. Mais le caractère particulier du sujet que traite Jacques Hermone comme la passion qu'il y met donnent à tort à penser qu'Israël et les Juifs français « prosionistes » souffrent de mauvais traitements exceptionnels de la part du *Monde* — comme s'ils constituaient, pour le journal, une sorte de peuple élu à rebours.

Deux auteurs communistes, Aimé Guedj et Jacques Girault, l'un et l'autre collaborateurs de *la Nouvelle Critique,* ont publié en 1970, aux Editions Sociales, un ouvrage intitulé *le Monde* dans lequel ils dissèquent le contenu du journal en mai et juin 1968 : mais ce livre — sur lequel il faudra revenir un peu plus loin — s'adresse d'abord à des communistes. Et il a, lui aussi, l'inconvénient de considérer que le privilège des insinuations fielleuses serait réservé au PCF.

Le public ne se voit donc offrir que des bribes hétérogènes. Quelques censeurs ont bien envisagé d'entreprendre une analyse plus générale et plus poussée : la tâche, à perdre haleine, les a découragés. Les plus conséquents ont tout simplement renoncé à la lecture du journal et se sont rabattus sur l'*International Herald Tribune.* Tel est le cas d'universitaires, de maîtres de conférences des Sciences Politiques, de hauts magistrats, d'économistes, etc., qui ont relégué *le Monde* au rayon des sornettes.

Il s'agit quand même là d'une démission à laquelle tous ne sauraient souscrire. Considérant l'influence du titre (disproportionnée à ses mérites) quelques intellectuels, lorsqu'ils en ont les moyens et l'occasion, l'épinglent.

Ainsi, Raymond Aron de temps à autre, dans sa tribune du *Figaro,* signale-t-il brièvement quelques aberrations parmi les plus frappantes qu'on peut glaner en parcourant *le Monde.* Mais ce ne sont jamais que des coups d'épingle.

Il s'est cependant produit, au milieu de 1975, un phénomène assez exceptionnel pour être signalé : la parution simultanée dans *le Figaro* et *le Nouvel Observateur* d'articles mettant en question la mentalité du quotidien de la rue des Italiens. Signés respectivement de Raymond Aron et Edgar Morin, ils se rattachaient aux événements du Portugal et plus particulièrement à l'affaire du journal socialiste *Republica.* Ils prenaient le contre-pied d'un passage d'un *bulletin de l'étranger* publié dans *le Monde* du 21 juin.

Or, Jacques Fauvet s'indigna de ces critiques et sous ses initiales, J.F., publia un éditorial afin d'en conjurer les effets. Cet éditorial — pour peu qu'on prenne la peine de l'examiner longuement à la loupe — ouvre des perspectives édifiantes sur l'esprit et les méthodes du responsable du titre.

Il convient donc de présenter l'ensemble du dossier. Voici le bulletin de l'étranger du 21 juin 1975, *Révolution et Liberté :*

« L'enjeu du conflit qui oppose les ouvriers du quotidien *Republica* aux journalistes soutenus par le parti de M. Soarès dépasse largement le cadre du Portugal. Voilà de nouveau l'information, son utilisation et son monopode en question. Entre le « simple conflit du travail » dont parle M. Séguy et l'« atteinte à la liberté » dont se plaignent les socialistes, la vérité est moins exclusive qu'il n'y paraît.

« Sans doute les socialistes ont-ils quelques raisons de redouter une mainmise du PC portugais ou des groupes gauchistes sur l'ensemble des moyens d'information. Mais en réclamant un droit de contrôle des travailleurs sur l'orientation des journaux qu'ils fabriquent, l'extrême gauche soulève au moins deux questions de fond qu'aucune révolution ne saurait éluder. L'information est-elle neutre ? Relativement claire en période calme et dans un système démocratique, la question est plus ambiguë dès lors qu'il s'agit — par le biais de la révolution — de remplacer une « idéologie dominante » par une autre.

« Le retard culturel d'un pays, un long passé de dictature et d'obscurantisme rendent difficile l'application immédiate et sans nuance d'une liberté d'expression qui a souvent tendance à s'exercer au profit des nostalgies du passé encore installées dans l'« appareil ». Au Portugal, la « liberté de la presse » dont se réclament les socialistes n'a pas deux ans et ses « utilisateurs » ne sont pas tous sans arrière-pensée. La tentation est donc grande d'assujettir prioritairement l'information à une « mission éducatrice » sans laquelle la révolution serait condamnée à piétiner ou à s'imposer par la force. La « liberté » n'est pas toujours invoquée innocemment.

« Mais l'expérience montre aussi que ni la vérité ni l'information qui la sert envers et contre tous ne sauraient être mises bien longtemps au service d'une cause sans se dégrader au rang de propagande. Or, en matière de presse plus qu'en aucun autre domaine, il est plus difficile de reconquérir une liberté perdue que de défendre celle qui existe.

« M. Fanfani accuse aujourd'hui les journalistes italiens d'avoir permis la victoire des communistes en dénonçant la corruption du gouvernement démocrate-chrétien. La Maison-Blanche s'irrite une fois de plus, et après l'affaire du Watergate, des révélations de la presse américaine sur la CIA. En France, l'union de la gauche a réclamé le 19 juin un rééquilibrage des informations diffusées par les sociétés nationales de radio-télévision. Tous ces exemples récents prouvent, si besoin en était, que la presse ne saurait être elle-même sans déplaire aux pouvoirs, quels qu'ils soient. C'est là la grandeur et les risques de sa mission. C'est aussi le sujet d'un débat qui n'est pas près de s'achever.

« Mais les grands principes et les déclarations solennelles ne doivent pas faire oublier pour autant que la liberté d'informer — et de s'informer — ne signifie rien sans que des moyens matériels soient mis à son service. Or, ceux qu'exige la presse sont considérables. Si chaque citoyen est libre de publier comme bon lui semble un quotidien dans une société démocratique, il suffit d'observer la situation de la presse occidentale pour mesurer ce que cette liberté peut avoir de formel. Il serait équitable que les socialistes portugais aient la possibilité juridique d'avoir un quotidien, mais il est juste d'observer que les socialistes français n'ont pas la possibilité économique d'en avoir un. La vraie question n'est-elle pas alors de savoir si, en permettant à tous d'user de la liberté d'expression, on ne permet pas en fait à quelques-uns d'en abuser ? »

Le 23 juin, dans *le Figaro*, Raymond Aron faisait paraître une chronique intitulée : « Il n'y a pas de quoi rire ». La moitié environ était réservée à l'examen des positions du *Monde* :

« Comment nos censeurs jugeront-ils de l'objectivité et de l'équilibre de l'information ? Je lisais, il y a quelques jours, dans notre confrère du soir, après les considérations sur Auschwitz et ses horreurs, les lignes suivantes : « Les vainqueurs d'hier ont eux-mêmes les mains sales. Le Goulag, Hiroshima, les tortures en Algérie, les raids de B-52 sur le Viêt-nam appartiennent encore à un passé trop chaud pour que l'on puisse se sentir prémunis contre les aberrations de la puissance. » Aucun Etat, grand ou petit, n'a les mains propres. Mais entre les bombardements, Hiroshima, les B-52 et le système concentrationnaire organisé par le pouvoir lui-même, il y a une différence de nature.

« Si l'on veut comparer à une autre institution les camps nazis, à certains égards uniques dans l'horreur, il faut les comparer à un système concentrationnaire, celui de l'Union soviétique. Dans ce dernier système, il n'y avait pas de chambre à gaz, mais des millions de koulaks ont péri pendant la collectivisation, d'autres millions, civils et militaires, staliniens et antistaliniens, pendant la grande purge. Quant aux raids aériens et aux tortures, tout haïssables qu'ils sont, ils appartiennent à une autre catégorie qui ne sera jamais close, celle des excès de la violence en temps de guerre.

« Le jour suivant, notre confrère du soir, qui décidément se surpasse lui-même, commente le cas du journal socialiste de Lisbonne dont les ouvriers empêchent la publication. Après les considérations savamment balancées, sur les mérites respectifs de la thèse de M. Séguy : « Simple conflit du travail », et celle de M. Soarès : « Atteinte à la liberté », sur la contradiction entre révolution et liberté d'information, le journaliste aboutit à cette formule que je reproduis telle quelle : « Il serait équitable que les socialistes portugais aient la possibilité juridique d'avoir un quotidien, mais il est juste d'observer que les socialistes français n'ont pas la possibilité économique d'en faire un. » Admirable hypocrisie. Les communistes, d'après notre confrère lui-même, exercent une influence dominante sur tous les autres moyens d'information au Portugal. En France, les socialistes possèdent de multiples journaux de province, ils s'expriment plusieurs fois par semaine à la radio d'Etat, aux chaînes de télévision, aux postes périphériques. Ils publient des articles ou des tribunes libres sans entrave. Le parti socialiste ne possède pas un grand journal d'information, mais l'UDR n'en possède pas davantage. Un grand journal d'information dans la société française ne peut pas devenir en même temps le journal d'un parti. Utiliser la distinction pseudo-marxiste des libertés formelles et des libertés réelles pour justifier, fût-ce avec réserve, la fermeture au Portugal d'un organe de presse lié à un parti auquel 38 % de l'électorat ont fait confiance, c'est pousser le mensonge, par insinuation ou par omission, au-delà des limites tolérables pour un journal qui se veut respectable. Que notre confrère veuille bien se rappeler la phrase du jeune Marx : « En l'absence de la liberté de la presse, toutes les autres libertés ne sont que des mirages. »

« Me sera-t-il permis d'ajouter qu'aucun journal socialiste ne pourrait rendre à la cause de la gauche la dixième partie des services que notre illustre confrère lui rend chaque jour dans l'entreprise de destruction de la société libérale ? Tout au plus, François Mitterrand pourrait-il se plaindre qu'une trop belle place soit réservée à M. Marchais. Mais, sur ce point, je m'en remets au premier secrétaire du parti socialiste.

« Tout compte fait, je me corrige : il n'y a pas de quoi rire. »

De son côté, la tribune d'Edgar Morin dans *le Nouvel Observateur* portait le titre « La liberté révolutionnaire » et commençait en ces termes :

« L'affaire de *Republica* n'est pas seulement un révélateur des conflits internes où se joue le destin de la révolution portugaise. Elle est aussi un révélateur de nos propres capacités à analyser et à situer, de façon sociologique et politique, le problème de la liberté de la presse.

« Ce qui est donc très révélateur ici, chez ceux qui se disent de gauche, c'est — aussi bien dans le silence que dans le commentaire — l'impuissance devant une alternative qui enjoint de choisir entre processus révolutionnaire et liberté de la presse. Un récent éditorial du *Monde,* intitulé « Révolution et Liberté »[1], est l'exemple très représentatif d'une structure de raisonnement paralysée parce que, dans ses prémisses mêmes, elle constitue une symbiose molle entre :

« — un principe libéral qui n'admet aucune atteinte aux libertés ;

1. Un appel situé à cet endroit renvoie à une note où Edgar Morin précise : « Voir *le Monde* daté du 21 juin, en première page, colonne de gauche, habituellement non signée ».

« — un principe progressiste qui subordonne les libertés d'expression au triomphe de la révolution.

« Je dis « symbiose molle » parce que l'expression du libéralisme y est devenue extrêmement timide et précautionneuse, parce que l'adhésion à la révolution y est extrêmement prudente et respectueuse. Cela aussi est révélateur.

« Le problème de la liberté de la presse se pose de façon paradoxale. Beaucoup de ceux pour qui la liberté de la presse, à l'égard d'un régime fasciste ou réactionnaire, constitue un bien absolu et une exigence progressiste considèrent cette même liberté, quand s'engage un processus jugé révolutionnaire, comme un bien accessoire et un danger réactionnaire. »

Edgar Morin étudiait ensuite, de manière générale, les termes du paradoxe et ses dangers.

Dans *le Monde* daté du mardi 1er juillet 1975, « J.F. » prenait alors la plume. Comme le texte qu'il a alors produit mérite une étude attentive paragraphe par paragraphe, phrase par phrase, ou proposition par proposition, le lecteur du présent ouvrage est convié à s'y astreindre.

J.F. commence en ces termes :

REVOLUTION ET LIBERTE

« Un « bulletin de l'étranger » paru sous ce titre sur le Portugal, dans *le Monde* du 21 juin, nous a valu de longues répliques de deux éminents sociologues, Raymond Aron et Edgar Morin. Ni l'un ni l'autre ne citent l'article incriminé, sauf, le premier, une seule phrase, isolée de son contexte. Mais l'un en tire un réquisitoire, l'autre y décèle une doctrine. C'est faire beaucoup d'honneur à ce journal ou lui prêter bien de la naïveté. N'ayant ni la science ni l'influence de ces philosophes, nous nous bornerons à deux séries d'observations. »

Ce premier paragraphe, à lui seul, constitue un morceau d'anthologie.

Passons vite sur ce que la première phrase a d'approximatif. L'adjectif *long* ne convient qu'à l'article d'Edgar Morin (deux pages du *Nouvel Observateur*) ; le passage (62 lignes) de la chronique de Raymond Aron qui visait le « bulletin de l'étranger » ne dépassait guère la dimension dudit bulletin lorsqu'on y ajoutait soixante autres lignes consacrées à un autre thème (traité, selon lui, aussi légèrement dans *le Monde* que celui de l'affaire de *Republica*) et à une conclusion sur le rôle politique du journal. Mais l'application du mot *longues* aux deux « répliques » (par celui qui va s'étendre sur 239 lignes !) prépare furtivement l'ironique « *éminents sociologues* ». Ils sont « *éminents* » (clin d'œil aux intellectuels de gauche, invités à sourire de ce couple de « mandarins ») et « *sociologues* » (clin d'œil aux intellectuels de droite qui savent en quel mépris il convient de tenir la « sociologie »), ils pourraient donc bien avoir en commun d'être des bavards diffus [1] :

En outre le propos des deux hommes n'était pas non plus une « réplique » *stricto sensu* : Edgar Morin consacre deux paragraphes (à peu près le dixième de son texte) à constater que l'éditorial « Révolution et Liberté » est révélateur d'un état d'esprit répandu dans une partie de la gauche française ; il se tourne vers ses lecteurs et ne prétend pas répondre au *Monde* ; Raymond Aron prend le public à témoin de l'« admirable hypocrisie » de son « confrère du soir » et ne s'adresse pas directement à lui — J.F. soulignera plus loin qu'il ne désigne le titre que par une périphrase. « Mise en cause » aurait été plus adéquat ou encore, s'il s'agissait

1. Notons que Raymond Aron n'est pas seulement sociologue, mais aussi économiste, politologue, journaliste et philosophe.

d'économiser un peu d'espace typographique, critique, attaque ou blâme. Mais « réplique » n'a pas été choisi au hasard. « Réplique » laisse d'emblée entendre que les positions respectives des « sociologues » et de l'auteur du « bulletin » se situent sur le même niveau, comme des chiens de faïence sur une cheminée. « Réplique » exclut donc que Raymond Aron et Edgar Morin aient cherché à élever le débat en le situant sur le plan des principes. « Réplique » légitime encore que le directeur du *Monde,* qui d'habitude ne se dérange pas pour si peu — mais qui a flairé un danger sur ses deux flancs — entre dans l'arène et prenne la parole à son tour. « Réplique », enfin, exige de celui qui réplique qu'il respecte certaines règles. Et c'est ainsi que « réplique » sert à sous-entendre, que les deux auteurs y ont manqué : « Ni l'un ni l'autre ne *citent* l'article incriminé, sauf le premier une seule phrase, isolée de son contexte. Mais l'un en tire un réquisitoire, l'autre y décèle une doctrine. » Que voudrait dire le « ils ne citent pas l'article incriminé », s'il ne contenait pas un reproche, propre à faire peser un soupçon sur l'intégrité des auteurs ? Et que signifierait le « mais » qui vient ensuite, s'il n'implique pas que cette absence de citation constitue une déloyauté, dès qu'ils prétendent « tirer un réquisitoire » ou « déceler une doctrine » ?

Pourtant, de quel défaut de citation s'agit-il ? Edgar Morin a mentionné et le titre de l'article et celui du journal qui l'a publié : il a procédé en quelque sorte, comme *le Monde* fait lui-même : « voir *le Monde* du... ».

Raymond Aron a résumé la teneur du « bulletin de l'étranger » du 21 juin et en a retenu une phrase significative : elle est *extraite* du texte et non pas *isolée* du contexte, comme le dit J.F. en suggérant qu'il s'agissait d'une extrapolation. Il faut sans aucun doute se pénétrer que pour J.F., ce n'est pas cela *citer*. Citer, ce n'est pas faire allusion à un article paru l'avant-veille, ce n'est pas le rappeler, ce n'est pas se contenter d'une citation. Citer, si l'on ne joue pas sur les mots, ce ne peut être d'après J.F. que citer *in extenso*, ou au moins aux trois quarts, à moitié, au quart... Mais citer, c'est citer, et c'est sacré.

Il convient de glisser avant que le lecteur n'ait eu le temps de se demander si J.F. commence par citer pour un dixième, Raymond Aron et Edgar Morin. Et avant qu'il n'échafaude un raisonnement à partir de la parabole de la paille et la poutre.

Avec les deux phrases suivantes ; le ton change. J.F. qui vient de tenter de jeter le discrédit sur ses adversaires de façon feutrée — étrange façon de concevoir le duel à fleurets mouchetés — se montre subitement plein d'onction et de componction.

« C'est (« tirer un réquisitoire et déceler une doctrine ») faire beaucoup d'honneur à ce journal ou lui prêter bien de la naïveté. N'ayant ni la science ni l'influence de ces philosophes, nous nous bornerons à deux séries d'observations. »

Tant d'humilité fait bon genre. Elle impressionne d'autant plus que le lecteur pourrait juger qu'elle n'est pas ici indispensable. Erreur : elle l'est. Puisque *le Monde* est un journal objectif, il est aussi juste avec lui-même qu'avec les autres. En conséquence, après avoir abaissé ses adversaires, par souci d'équilibre, il s'abaisse. Après les avoir éclaboussés, son directeur se roule dans la poussière.

Reste à examiner, à travers le style, la portée de ces mômeries.

L'exégète rencontre un premier embarras dès qu'il s'agit d'interpréter le rôle de la copule *ou* : « C'est faire beaucoup d'honneur à ce journal *ou* lui prêter bien de la naïveté ? » Ce *ou* indique-t-il que la double possibilité doit être envisagée et pour Raymond Aron et pour Edgar Morin — autrement dit : et pour celui qui « tire un réquisitoire » et pour celui qui « décèle une doctrine ? Ce *ou* marque-t-il que la première affirmation concerne Raymond Aron et la seconde, Edgar

Morin ? Ce *ou* permet-il d'inverser les imputations ? On est ici, à la réflexion, en plein galimatias.

Si la première hypothèse est bonne, n'est-il pas absurde de prétendre que « tirer un réquisitoire » contre quelqu'un revient à lui « prêter de la naïveté » ? Et si c'est la seconde qui est à retenir, en quoi est-ce « prêter de la naïveté » à un journal que d'y « déceler une doctrine » ? Ne serait-ce pas plutôt lui prêter de la duplicité, des arrière-pensées, ou, du moins, de la profondeur ? Pour la même raison, il est impossible que « déceler une doctrine » dans une publication soit lui « faire beaucoup d'honneur » et exclut donc la troisième hypothèse. La seule idée qui tienne à peu près debout est que c'est faire trop d'honneur au *Monde* que de requérir contre lui.

Ah ! que ce *ou* en dit beaucoup plus qu'il ne semble ! Il était riche de virtualités qu'on n'aurait pas vues sans regarder à la loupe ! Il met en balance, il trie, il agglutine. Amphibologique, il se donne l'air de faire impartialement le tour d'une question et de la contenir tout entière entre deux termes indiscutables. Qui se douterait qu'il sert d'articulation à une rhétorique boiteuse ?

A moins que cette infirmité n'ait pour fonction d'illustrer l'insuffisance de science que l'auteur dit se reconnaître en face de ses adversaires, la complaisance qu'il met à se mortifier révèle, en tout cas, un étrange goût pour les simagrées. Il est ridicule de proclamer que le *Monde*, avec le prestige qu'il est le premier à s'accorder, ne vaut pas la peine qu'on s'en prenne à lui. Il y a de l'afféterie de la part d'un homme qui a déjà publié plusieurs volumes traitant de géographie électorale ou d'histoire contemporaine, à gémir qu'il ne possède pas une science à la hauteur du débat. Il est purement grotesque, quand on est le directeur du *Monde*, de prétendre avoir moins d'influence qu'Edgar Morin et Raymond Aron.

Cette comédie n'est pas innocente. Elle n'est pas destinée à être prise au pied de la lettre. Elle apporte à J.F. l'occasion d'esquiver par une pirouette l'accusation faite au *Monde* d'être « l'entreprise de destruction de la société libérale » — formule qui constitue l'essentiel du « réquisitoire » de Raymond Aron et qui ne concerne pas uniquement le traitement de l'affaire portugaise, comme J.F. feint de le croire.

Cependant, que penser d'un bretteur qui, en se livrant à une polichinellerie, déclare rengainer l'épée devant la force de ses adversaires et qui, simultanément, leur fait un croc-en-jambe ?

Car « ces philosophes » (pour désigner *in fine* Raymond Aron et Edgar Morin) est de la même veine qu'« éminents sociologues » — ou encore que les termes *« réquisitoire »*, « *décèle* une doctrine », propres à évoquer, en surimpression, des images défavorables de répression ou d'inquisition policière. « Ces philosophes » ambitionne d'aller plus loin encore dans la dépréciation péjorative : des songe-creux. Misère de la philosophie !

Le plus beau est que dans la même phrase, une fois qu'il s'est aplati et a profité de la situation pour diminuer ses adversaires, J.F. relève fièrement la tête : « N'ayant ni la science ni l'influence de ces philosophes, *nous nous bornerons* à deux séries d'observations. » Avant la virgule, c'était tout juste s'il ne se déclarait pas borné ; après elle, il fixe les bornes qui lui conviennent — avec un pluriel de majesté. Mais (se diront les esprits simples) s'il se borne à deux séries d'observations, c'est qu'il peut en faire plus. Or, s'il n'en fait pas plus alors qu'il le peut, c'est qu'elles suffisent à réfuter les « philosophes » — sinon, ce n'est pas la peine de prendre la plume. Donc si elles suffisent, c'est qu'il possède une science et une influence égales à celles de « ces philosophes ».

Et les esprits simples ne comprendront rien.

Ils auraient dû examiner de plus près cette phrase qui paraît si limpide qu'on l'absorbe de confiance en une goulée. A l'analyse, elle révèle un grouillement de sens et de non-sens possibles. Que peut bien en effet, venir faire l'expression « nous nous bornerons » ? Est-ce qu'elle ménage une excuse à J.F. et implique que, s'il n'est pas convaincant, il faudra exclusivement l'attribuer au fait qu'il se sera volontairement borné à deux séries d'observations ? Est-ce qu'elle sous-entend que J.F. refuse d'entrer dans une polémique, et se propose de s'en tenir à « deux séries d'observations » adressées au public et non à Raymond Aron et Edgar Morin ? Mais alors, pourquoi avoir affirmé qu'ils ont répliqué au bulletin du *Monde*, si ce n'est pas pour répliquer à leur réplique ?

Au fil des interrogations, on s'aperçoit que J.F. avec son « nous nous bornerons » prétend délimiter le terrain de la rencontre. Il ne pourra en aucun cas être déclaré perdant puisqu'il n'engage pas le combat et qu'il a renoncé d'avance à employer tous les moyens dont il pouvait disposer. Ses seules armes seront des « observations » auxquelles il se livrera du sommet de l'Aventin où il s'est noblement retiré. Personne ne s'avise tout de suite des deux significations du mot « observations » dans ce contrat unilatéral. Ce seront les constatations objectives que le terme à l'air de promettre au lecteur. Ce seront aussi les réprimandes que méritent les deux « philosophes » et qui tomberont sur eux de haut.

Le style, c'est l'homme.

Ce style-là est de la nature des mollusques qui, en mer, flottent entre deux eaux. A première vue, lisse et transparent, il se réveille, au contact, gluant et gélatineux. Ses contours sont indéterminés. Il faut un examen approfondi pour comprendre que ce conglomérat apparemment inorganique possède son système propre, ses rouages internes invisibles et, dans chacun de ses pores, une charge de venin.

Les balancements, les dandinements, les tortillements, l'espèce de danse de ce « style-méduse » sont autant de pièges à déjouer.

Faute de pouvoir consacrer un volume à l'article « Révolution et Liberté » de J.F., on est contraint de se résigner à signaler les principaux au passage. Et d'adopter un peu la méthode de Malherbe annotant Desportes et inscrivant dans la marge les cacophonies et les chevilles de ce pauvre poète.

Le Portugal n'est pas la France...

Platitude. Style pseudo-gaullien. Ambition de donner dans le genre noble et la vision universelle.

Ni la structure sociologique, ni la situation historique, ni le débat politique ne sont comparables.

Les deux premiers «ni» introduisent des truismes, qui, par contagion, feront ressentir ce qui suit comme une évidence qui n'est pas. Qu'est-ce qui interdit, s'il ne s'agit que de *débat politique* de comparer les rapports des socialistes et des communistes en France avec leurs rapports au Portugal ? Le PS a soutenu les socialistes ; le PCF a soutenu le PCP.

L'amalgame entre les deux pays n'est pas possible, ou il n'est pas honnête.

Impudence moralisatrice. Qui, sinon *le Monde*, a, le premier, établi un parallèle entre l'« impossibilité juridique » des socialistes du Portugal et l'« impossibilité économique » des socialistes français de posséder un journal et s'est livré, de ce fait, à un amalgame ?

Qui n'est pas honnête en laissant peser sur Raymond Aron et Edgar Morin une imputation désobligeante qui aurait beaucoup mieux convenu au *Monde* ?

On enregistre ici un procédé classique de l'imposture : puisqu'elle dénonce un procédé, c'est la preuve qu'elle est incapable d'y recourir. Mais, surtout, l'ensemble du passage illustre le mécanisme mis au point par J.F. pour manipuler les règles du jeu polémique et tricher à sa convenance :

1°) du moment qu'il ne répond pas aux deux « philosophes », il se borne à des observations qui ne s'adressent pas à eux.

2°) le voisinage de l'allusion aux « deux éminents sociologues » permet au reproche de les atteindre. Car chaque lecteur interprétera (mais, bien entendu, sous sa seule responsabilité) que la confusion d'esprit, l'amalgame, la malhonnêteté caractérisent Raymond Aron et Edgar Morin.

Il est vrai que trop souvent, *à gauche comme* ailleurs...

... *les observateurs français ne jugent* l'expérience portugaise *qu'en fonction de la situation française.*

Ceux qui redoutent la venue de la gauche au pouvoir en France sont naturellement portés à tirer argument de ses divisions *et de ses* erreurs *au Portugal.*

Flou prometteur. Nuage d'encre...

1°) Ceux qui « redoutent la venue de la gauche au pouvoir en France » jugent de la situation française (ou de ce qu'elle risque de devenir) en fonction de la situation portugaise et non l'inverse, comme le laissent entendre les lignes qui précèdent. Et ce n'est pas pareil : selon la première phrase, ce serait leur vision du Portugal qui est faussée. Selon la seconde, ce serait leur vision de la France, mais leurs constatations des « divisions » et des « erreurs » de la gauche au Portugal ne paraissent plus contestées...

2°) Remarquer les euphémismes : l'*expérience portugaise* (une ambiance de laboratoire où règne l'esprit scientifique ?) ; les *divisions* et les *erreurs* de la gauche. Quelles divisions ? Quelles erreurs ? Quelle gauche ? Est-ce à dire que les responsabilités des communistes et des socialistes sont partagées ? Est-ce à dire que le sort fait aux socialistes est le résultat de leurs erreurs ? Est-ce à dire que l'attitude du parti communiste à leur endroit est tout au plus une erreur ?)

3°) Dans le choix du vocabulaire, noter aussi : les « observateurs ». Bizarres observateurs, qui, si l'on comprend bien, « tirent argument », « jugent », « redoutent » et qui, quelques lignes plus bas, auront parfois « combattu le salazarisme ».

Le mot les « observateurs » ne semble avoir été employé que pour amener et justifier l'expression « expérience portugaise » — qui atténue la gravité de la situation politique intérieure du pays, telle qu'elle existait à l'époque.

Nombre de ceux-là ne s'étaient jamais intéressés à ce pays lorsqu'il languissait sous une dictature vieillissante et ne s'étaient jamais alarmés que la torture et l'assassinat y fussent devenus des moyens de gouvernement. Leur impatience d'aujourd'hui contraste par trop avec leur complaisance d'hier.

Lieu commun : n'est-il pas évident que «nombre» de ceux qui redoutent la venue de la gauche au pouvoir en France (un peu plus de 50 % du corps électoral) ont de la complaisance pour le fascisme quand ils n'en sont pas les complices ?

Ceux qui, à l'opposé ayant ou non *combattu* le *salazarisme...*

On ignorait qu'une partie de la gauche française avait combattu le salazarisme et l'autre, non. A moins qu'on se méprenne sur le sens du mot *combattre ?*
S'agit-t-il de mépriser, de désapprouver et de dénoncer ? Toute la gauche l'a fait, et non pas une partie.

S'agit-il de lever des commandos de guérilleros ? d'envoyer des volontaires avec des armes ? Aucun parti de gauche ne l'a fait.

N.B. — On aimerait savoir si J.F. se range dans la catégorie de ceux qui ont combattu ou non le salazarisme. Et quand a-t-il combattu le franquisme ? Lorsque *le Monde* a fait paraître des articles sur l'Espagne ? Lorsqu'il a publié des placards publicitaires invitant à y passer les vacances et à y investir dans l'immobilier ?

... ont cru ou croient encore au succès de la gauche unie *en France sont tentés de fausser ou de refuser le débat sur* ses

Les difficultés de la *gauche unie* (!) au Portugal !

difficultés et ses dangers au Portugal.

Mieux vaudrait qu'ils l'abordent franchement...

J.F. leur montrera comment s'y prendre pour aborder un débat avec franchise.

... et marquent davantage les différences fondamentales entre les deux situations.

Ou bien l'on marque les différences *fondamentales* ou bien on ne les marque pas du tout. Les marquer *davantage* ne veut rien dire.

Au Portugal, la légitimité est révolutionnaire, et c'est l'armée, et en tout cas le MFA, qui la détient. Ce ne sont pas les partis politiques qui ont fait la révolution du 25 avril. S'il y a eu des élections, les partis eux-mêmes ont accepté à l'avance d'en voir limiter les effets tant pour le gouvernement que pour la Constitution.

Où sont passés les grands principes du *Monde* ? J.F. n'hésite pas à poser que la force prime le droit, pourvu qu'elle soit « révolutionnaire ». Il oublie complaisamment que ce n'est pas spontanément mais contraints que les partis ont « accepté » de voir limiter les « effets » des élections...

Et il use d'une pudique périphrase (la *limitation* des « effets » des élections) alors qu'il s'agit d'une quasi-suppression des dits « effets »...

Toute sa démonstration repose en outre sur une confusion (délibérée?) des divers sens des mots « légitimité » et « révolutionnaire ». La révolution du

25 avril (au sens de renversement d'un régime) était légitime (au sens moral).

J.F. étend cette légitimité (morale) à l'armée pourvu qu'elle soit « révolutionnaire » (au sens, cette fois, où être révolutionnaire consiste à établir une société s'inspirant d'un socialisme totalitaire).

Dans la même foulée, il conclut que du moment que le MFA détient le pouvoir, il détient aussi la légitimité (la légalité) envers et contre les élections. Qu'est-ce donc que la légitimité pour J.F. ? Qu'est-ce, pour lui, que la légitimité révolutionnaire, par rapport à celle-ci ?

Il se garde de le préciser et se livre à un pot-pourri, où le souci de réalisme (le MFA détient le pouvoir) se mélange avec celui des justifications d'ordre moral (après tout, ce ne sont pas les partis qui ont fait la révolution du 25 avril ! Ils ont accepté la limitation des effets des élections). Pour parvenir à un compromis il sacrifie un peu les réalités, et beaucoup la morale.

En France, la légitimité est démocratique...

Encore une fois, que signifie ce parallèle entre *légitimité révolutionnaire* et *légitimité démocratique ?*

N.B. — Les théories de J.F. sur la légitimité sont bien loin des simples « observations » qu'il avait promises.

... et, sauf à provoquer la rupture de la coalition, elle le serait restée au cas où la gauche l'aurait emporté.

J o s e p h Prudhomme n'aurait pas mieux dit.

Pour justifier l'éventuelle présence des communistes au gouvernement, les socialistes font souvent état du précédent de la Libération. Ils ont tort. Jusqu'aux élections d'octobre 1945, et même au-delà puisque les pouvoirs de la Constituante avaient été limités, la légitimité n'était pas démocratique.

Enorme ! ... quand on considère ce qu'il y a de purement extérieur et de formel dans la comparaison qui va venir. Une comparaison qui par-dessus le marché fait suite à l'affirmation que le Portugal et la France ne sont pas comparables !

Le général de Gaulle la détenait de l'Histoire, du refus de la défaite et de Vichy, comme les militaires portugais la détiennent

Le général de Gaulle ne gouvernait pas avec l'appui des militaires, qu'on sache.

Son gouvernement pro-

du refus du fascisme et du 25 avril.

visoire a préparé des élections et a souscrit à leurs résultats, au lieu de les rejeter, qu'on sache.

De plus, si les militaires portugais détiennent leur légitimité du refus (un peu tardif...) du fascisme et du 25 avril, cette légitimité a forcément cessé d'être entière, du jour où une partie des artisans de la révolution du 25 avril s'est séparée de l'autre (cf. Spinola).

Il est aventureux de comparer la légitimité d'un groupe à celle d'une individualité.

Il ne s'agit pas de confondre ni de condamner *l'un ou l'autre de ces épisodes.*

Ah !...

Quel épisode, du côté français, s'agirait-il de ne pas condamner ? Les conditions du rétablissement de la République après la Libération ? Le refus de la défaite et de Vichy par le général de Gaulle comme paraît plutôt l'indiquer le contexte ? Les Français seront bien aises d'être invités par J.F. à ne pas condamner l'appel du 18 juin!

La frivolité des balancements verbaux évoque ici la pratique de l'escarpolette : « Poussez, poussez... »

Cependant, derrière la rhétorique d'opérette, apparaît en cryptogramme le désir de créer un sentiment de culpabilité injustifié puisque personne, en fait, ne songe à condamner la fin du fascisme au Portugal ! Ce sentiment-là, une fois suscité, sera d'autant plus disponible qu'il sera sans objet ; il fraiera la voie à l'indulgence prônée à la ligne suivante : « comprendre » n'exclut-il pas que l'on condamne — et donc que l'on condamne le coup porté au journal socialiste !

Dans la foulée, en recourant à un double contrepoint (un thème discrètement antigaulliste : déjà, en 1945, de Gaulle n'était pas démocrate ! un thème gaulliste : le général détenant sa légitimité de l'Histoire). J.F. aura sollicité des applaudissements côté cour et côté jardin.

Il s'agit de les comprendre *l'un par l'autre, en eux-mêmes et dans leurs effets...*

Ou bien *comprendre* a ici le sens de « montrer de l'indulgence, témoigner de la compréhension » (cf. *supra*), ou bien J.F. dit une sottise : en quoi le 25 avril 1974 à Lisbonne va-t-il aider à comprendre « en soi-même » l'épisode du 18 juin, ou de la Constituante de 1945 ?

... notamment sur la liberté de la presse.

1°) on ne s'attend guère à ce que de si grandes envolées historiques aboutissent à une pareille chute...

2°) ou, au moins, on attendrait que J.F. n'oublie pas que l'un des « effets » de la Libération et de l'action de de Gaulle, en matière de liberté de la presse, a été de donner les moyens à Hubert Beuve-Méry de créer *le Monde*, par l'attribution des locaux et du matériel du *Temps*.

Faut-il en outre comprendre que l'élimination des journaux collaborationnistes ou pro-nazis avait des « effets » sur la « liberté de la presse » et la mettait en cause ?

Car sinon, on se torture le cerveau pour découvrir à quoi J.F. fait allusion : en dehors de la disparition de la presse de Vichy et du maintien de la censure de guerre, on ne voit pas en quoi la Libération a eu des « effets » sur la liberté d'expression de la presse en 44-45.

3°) D'autre part :

J.F. suggère que la mainmise du MFA avec l'appui communiste sur le journal *Republica* s'inscrit dans la ligne du refus du fascisme. C'est proprement insulter les journalistes socialistes qui composaient sa rédaction.

Quel démocrate, s'il ne l'est pas à éclipses,

Inutile de préciser que le démocrate est J.F. et que les démocrates à éclipses pourraient bien être ses contradicteurs...

...ne souhaite que, en dépit de l'arriération culturelle, du sous - développement économique et de la situation historique et politique née du 25 avril 1974 puis du 11 mars 1975, la légitimité démocratique succède le moins tard possible à la légitimité révolutionnaire au Portugal ?

Une fois de plus, où sont passés les grands principes du *Monde,* avec ce « en dépit de » et ce « le moins tard *possible* », avec cette distinction entre la légitimité révolutionnaire et la légitimité démocratique ? Souhaiter que la seconde soit rétablie *en dépit* du sous-développement économique, etc., c'est dire qu'elle peut être supprimée à cause du sous-développement économique, etc.

On remarquera, au passage, l'importance accordée à la tentative de coup d'Etat du 11 mars 1975 : celui-ci est appelé à figurer parmi les justifications de l'affaire *Republica.*

Quel démocrate, surtout s'il est journaliste, ne souhaite que Republica *puisse reparaître le plus rapidement possible à Lisbonne?*

« *Puisse* reparaître le plus rapidement *possible* » : Quelle vigueur dans le vœu !

Le démocrate J.F. s'éclipse avant de préciser les raisons des « empêchements »... Il omet aussi que *Republica* avait pu paraître — tant que bien de mal — sous Salazar et Caetano...

On ne voit pas ce que le régime portugais y perdrait à l'intérieur.

On ne voit pas ? Mais c'est lui que cela regarde.

On voit ce qu'il y perd à l'extérieur.

Le régime portugais devrait donc mieux se préoccuper de préserver les apparences, de faire preuve de plus d'hypocrisie. J.F. a, cette fois, parfaitement raison de prendre ici le ton de celui qui fait la leçon : il saurait en donner.

Mais ce n'est pas en le ressassant qu'on l'obtiendra.

Noter, *primo,* l'emploi péjoratif du verbe « ressasser », *secundo* la beauté du « ce n'est pas en le ressassant qu'on l'obtiendra ». Essayer, *tertio*, de pousser le raisonnement à l'absurde : « C'est en se taisant qu'on l'obtiendra. » S'interroger, enfin, sur ce que désigne ici le « *on* » : la presse française ? Le journal *le Monde* ? Raymond Aron et Edgar Morin ? Les socialistes français ? Les socialistes portugais ? L'opinion publique ?

On pourra alors conclure sur la valeur des professions de foi de l'auteur en matière de démocratie et de liberté d'expression. Il est bon de se taire si *on* ne veut pas s'exposer à ressasser (à radoter ?) et si *on* veut être efficace... Admirer aussi la prétention du *Monde* à donner des leçons d'efficacité internationale.

Ce n'est pas en publiant des faux,

Des faux ? Un faux : le « document Ponomarev ». L'usage du pluriel emphatique est en soi une clause de style admissible. Il est s e u l e m e n t regrettable qu'elle apparaisse dans un tel contexte. Le « faux » publié par *le Quotidien de Paris* n'a pas été totalement et absolument un faux dans la mesure où il était une transposition (abusive lorsqu'elle était appliquée au seul cas précis du Portugal) d'un texte de Ponomarev qui contenait des idées directrices valables pour les partis communistes de tous les pays non communistes.

A propos de faux, indiquons que *le Monde* a écrit que Alvaro Cunhal, leader du PCP, n'a, « à *sa connaissance* », pas rencontré M. Ponomarev en Russie lors de son voyage de l'automne 1974. Or *la Pravda* du 3 novembre 1974 a publié une photo où voisinent les deux hommes. A la fausse information qu'il a ainsi donnée, *le Monde* — « à notre connaissance ! » — ne s'est pas empressé d'apporter un rectificatif.

en fomentant des complots dans les antichambres,

Quels complots ? Quelles antichambres ? Des précisions seraient bienvenues...

en spéculant sur la crise économique et la misère, dont le seul effet serait de radicaliser un

1°) « Radicaliser *un peu plus* » : contradiction dans les termes (cf. supra : marquer *davantage* les diffé-

peu plus le régime portugais. C'est en l'aidant économiquement. Ce que devrait faire l'Europe et ce qu'elle n'a pas encore fait.

rences fondamentales). Galimatias.

2°) C'est en aidant économiquement le Portugal que l'Europe obtiendra la reparution de *Republica* et sa restitution aux socialistes ! C'est donc l'Europe la principale responsable du moment qu'elle n'a pas apporté cette aide de l'affaire *Republica.* A quoi tend, à la fin, ce gâchis d'arguments ?

Quand J.F. affirme qu'une amélioration de la situation économique portugaise entraînerait une amélioration politique, il devrait aussi envisager l'inverse...

La liberté de la presse est de toute évidence liée profondément à l'« organisation de la société ». Il n'est pas besoin d'être sociologue pour l'observer, non plus que d'user de « la distinction pseudo-marxiste des libertés réelles » (Raymond Aron).

Donc, dans une société organisée autrement que la nôtre, la presse serait plus libre ? On aimerait des exemples : en URSS, en Chine, au Chili ?

Il suffit de constater que si la Presse est juridiquement libre depuis bientôt un siècle en France, elle ne l'est plus écono-

Il *suffit* de constater que le *Quotidien de Paris* et *Libération* ont pu naître pour se rendre compte de ce que l'argumentation *miquement ni même moralement lorsqu'il faut des milliards d'anciens francs pour créer un grand hebdomadaire, lorsqu'un quotidien se vend pour autant de milliards à la confusion ou à la révolte de ceux qui le rédigent, lorsque des journalistes sont obligés, pour le dire, de s'exprimer dans un autre journal que le leur.*

a d'insuffisant. Sans parler des publications comme *Charlie-Hebdo,* et des feuilles maoïstes, trotzkystes, etc.

Il suffit de redire que si les principales familles d'esprit et de pensée ont la liberté de s'exprimer, elles n'en ont pas toutes le pouvoir puisqu'elles n'en ont pas toutes les moyens.

Il suffit de redire que J.F. confond tout : les *moyens* (matériels) de s'exprimer ne donnent pas nécessairement le *pouvoir* de se faire entendre. Les principales familles d'esprit et de pensée, bien moins que des moyens de créer un journal, manquent du pouvoir de le faire lire...

La liberté qui est en cause alors est celle des lecteurs.

Où est, dans cette affirmation l'« hypocrisie » et le « mensonge » ? (Raymond Aron).

Faut-il comprendre que J.F. pose une devinette ? Dans ce cas, voici la réponse : l'« hypocrisie » et le « mensonge » consistent d'abord à substituer, comme le fait J.F., une autre affirmation à celle qui était exprimée dans le « bulletin de l'étranger » du 21 juin et critiquée par Raymond Aron. Ce que Raymond Aron avait mis en cause, c'était le parallèle établi par *le Monde* entre la situation des socialistes en France et celle des socialistes au Portugal.

Il est vrai que le parti socialiste n'est pas le seul à ne pas avoir d'organe officiel, la majorité n'en a pas davantage.

Le parti socialiste dispose d'un hebdomadaire, *l'Unité*, de même que l'UDR a possédé un quotidien *la Nation* — réduite aujourd'hui à un bulletin.

J.F. considère-t-il que ce ne sont pas des organes officiels en raison du mode et de la faiblesse de leur diffusion ? A ce compte, il n'y a qu'un parti qui possède un organe officiel : le PCF avec *l'Humanité*.

Mais si J.F. l'avait précisé, toute sa démonstration se serait écroulée...

Mais si l'on veut bien faire le compte des journaux parisiens et régionaux qui ont soutenu son candidat unique au second tour, sans parler des postes de radio privés, on admettra qu'ils étaient beau-

1) Inspiration de ce passage : montrer combien J.F. a de la sympathie pour les socialistes, alors qu'à peu près tout le reste de son article les poignarde... Pure démagogie.

2) Noter une contre-vé-

coup plus nombreux que ceux qui ont défendu le candidat commun de la gauche.

rité à propos des postes périphériques : sur RTL comme sur Europe 1, Valéry Giscard d'Estaing et François Mitterrand, ainsi que leurs partisans respectifs ont pu s'exprimer sans inégalités choquantes...

3) Noter encore le choix d'un adjectif : le candidat *unique* de la majorité, alors que « candidat de la majorité » suffisait. Que suggère « unique » dans sa juxtaposition avec candidat « commun » (de la gauche).

Peu importe le vocabulaire, formelle ou réelle, en droit ou en fait...

Peu importe le vocabulaire : J.F. insinue qu'il ne s'agit que d'une querelle de mots. La dérobade est trop facile...

la liberté de la presse dépend de l'organisation de la société...

Renverser la proposition, elle sera bien plus vraie : « l'organisation de la société dépend de la liberté de la presse ». Jusqu'ici, quand la liberté de la presse a *dépendu* de l'organisation de la société, elle a été supprimée.

... ou, si l'on préfère, l'information est le reflet d'une société.

Belle formule lapidaire.

Un régime — et un peuple — a la presse qu'il mérite.

Seconde belle formule lapidaire. La méditer. Se pencher sur quelques-unes de ses implications :

1) C'est bien fait pour le peuple chilien, par exemple, s'il a des journaux bâillonnés.

2) Le peuple français, comme la Ve République, ne sont-ils pas bien méprisables de mériter que le plus beau joyau de leur presse soit *le Monde,* tel qu'il est devenu aujourd'hui ?

Le Monde *n'a pas eu à faire « une symbiose molle entre un principe libéral qui n'admet aucune atteinte aux libertés et un principe progressiste qui subordonne les libertés d'expression au triomphe de la révolution »* (*Edgar Morin*). *Il ne lui est jamais venu à l'idée de le croire et donc de l'écrire.*

Il n'est pas venu au Monde *l'idée de* (...) *l'écrire :* bien sûr ; puisque c'est Edgar Morin qui l'a écrit...

Il n'est pas venu au Monde *l'idée de le croire :* de croire quoi ? qu'il a fait une « symbiose molle » comme Edgar Morin le lui reproche ? Que cette symbiose était souhaitable ? Grammaticalement et logiquement la seconde hypothèse est la plus plausible, en dépit de la correction approximative de la construction de la phrase qui fait qu'on ne sait pas au juste à quoi se rapporte *le* dans *le croire.*

Il n'a jamais pensé non plus qu'il puisse y avoir « une progression des libertés dites réelles dans la perte des libertés dites formelles » (Edgar Morin).

Mais, alors, qu'a-t-il pensé au juste ? *Le Monde* ne sait-il pas ce que veut dire ce qu'il dit ?

Ce ne sont pas les unes ou les autres qui font la liberté ; ce sont les unes et les autres. Il ne s'agit ni d'une alternative ni d'une synthèse ;

Charabia. S'il s'agit des unes *et* des autres, il s'agit d'une synthèse ou, au moins, de quelque chose qui y ressemble.

il s'agit d'une évidence...

Si l'évidence est tellement forte, il faudrait citer le pays où il existe un journal jouissant à la fois des libertés réelles et des libertés formelles.

et d'une nécessité.

Raymond Aron s'en est pris, lui, à notre journal dans les colonnes d'un « confrère du matin » que nous ne nommerons pas puisque lui-même n'a pas cité le Monde .

Par représailles, J.F. ne nommera pas non plus *le Nouvel Observateur* où est paru l'article d'Edgar Morin — qui pourtant citait *le Monde*... Nouvelle illustration de la parabole de la paille et la poutre.

Nous permettra-t-il de lui rappeler que c'est dans nos colonnes qu'il s'est exprimé sur l'Algérie lorsque cette liberté lui a été

1) Tartuffe ici est mâtiné de l'Arsinoé du *Misanthrope.* Se prévaloir de ne pas nommer *le Figaro,* puis lâcher son nom, en-

refusée au Figaro ? *De même que François Mauriac, interdit au* Figaro, *s'est réfugié à* l'Express.

suite, en douce... Il aurait fallu choisir.

2) J.F. permettra-t-il de faire observer que *le Monde* des années où Raymond Aron a obtenu l'hospitalité n'avait rien à voir avec *le Monde* tel qu'il est devenu aujourd'hui ?

Un journaliste n'est jamais qu'un journaliste, au moins dans un journal qui n'est au service ni d'un parti, ni d'une idéologie, ni bien entendu, d'un intérêt. Il n'a pas à définir une doctrine ; il a d'abord à observer et à décrire la réalité. C'est à partir d'elle et non de principes ou de théories qu'il est à même, s'il le faut, de défendre des valeurs.

L'hymne, le grand air du journal ! Mais, au fait, est-ce que J.F. dépeint *le Monde* tel qu'il est ou tel qu'il devrait être ?

La liberté sans laquelle la presse ne peut exister, et la justice sans laquelle la liberté est un leurre.

Exemple de symétrie artificielle. J.F. pose que la liberté sans la justice est un leurre. Mais il écarte la proposition inverse : la justice, sans la liberté, est un leurre...

Or, c'est bien là le fond du problème...

Peu de gens ont le temps ou le goût d'éplucher la prose de Jacques Fauvet un crayon à la main. Le travail est doublement ingrat : lorsqu'il est achevé, la critique souffre d'un décalage dans le temps ; elle risque de paraître périmée — *le Monde* aura tôt fait de prétendre : avariée.

Il y a, en fait, une bonne raison pour que personne ne s'avise sur-le-champ du creux de la pensée, de l'incohérence des raisonnements ou de la sournoiserie des développements : le style endort. La monotonie des balancements académiques anesthésie les facultés de jugement. A la faveur de la pénombre, il véhicule furtivement les idées, les images, destinées à être déposées dans les esprits. Tandis qu'un slogan cherche à frapper l'attention, ce style-là cherchera à la détourner. Un slogan est tapageur. Ce style-là est étouffé. C'est l'anti-slogan, mais c'est aussi l'instrument d'une propagande.

Car il fait songer à une technique de persuasion clandestine bien connue des publicitaires que le *Monde* est à l'occasion le premier à dénoncer : il suffit d'intercaler dans la projection d'un film une brève image à peine identifiée par le spectateur pour l'influencer durablement.

Mais, sera-t-on peut-être tenté de plaider, le « bulletin de l'étranger » intitulé *Révolution et Liberté* comme l'éditorial de J.F. qui prenait sa défense n'ont-ils pas été écrits dans un moment d'aberration exceptionnel ?

Jacques Fauvet, en cet été 1975, n'a-t-il pas souffert d'un engourdissement de la plume passager et excusable ? Ne faut-il pas se garder d'une généralisation hâtive, donc abusive ?

On trouve cependant des remarques voisines de celles qui viennent d'être livrées dans l'ouvrage paru en 1970 aux Editions Sociales sous la signature de deux auteurs marxistes, Aimé Guedj et Jacques Girault. Tous deux collaborateurs de la revue communiste *Nouvelle Critique,* ils ont entrepris de montrer, outre l'hostilité dont *le Monde* a fait preuve à l'encontre du PC en mai-juin 1968[1], les procédés d'écriture employés par le journal, afin d'insinuer plutôt que de dire.

On y lit, page 129 :

> « A deux reprises au moins, au cours de cette étude, nous avons utilisé des remarques grammaticales pour étayer notre argumentation. Ces remarques, évidemment, le lecteur ne les fait pas. On nous reprochera peut-être une vaine subtilité : pourquoi parler de ce qui échappe à une lecture cursive du journal ?
>
> « C'est qu'il s'agit d'un mode spécifique d'intervention du *Monde,* du niveau second de son discours. Ce qui est dit explicitement fournit le lecteur en arguments — sur la pseudo-rationalité desquels nous reviendrons. Ce qui n'est pas dit, mais suggéré — soit implicitement par un inaudible silence, soit obliquement par la syntaxe — stimule certains réflexes conditionnés, provoque certaines attitudes, renforce certains comportements, favorisant ou créant un état de réceptivité à l'idéologie véhiculée par le journal, qui s'impose ainsi frauduleusement à l'inconscient du lecteur. »

Et page 130 :

> « ... il ne s'agit pas d'ouvrir l'esprit, il s'agit de le fermer (...) ».

Un peu plus bas, en analysant le rôle de la copule *et* dans une phrase :

> « Mots démonétisés et remis en usage : *le Monde* est expert dans ce genre de réévaluation. Le moyen choisi est assez subtil et discret pour

---

1. *Le Monde* à l'époque privilégia largement les positions de la C.F.D.T. par rapport à la C.G.T. ; celles des maoïstes ou des trotskystes (entre autres) par rapport à celles du P.C., etc.

échapper à l'attention : le « et » juxtapose les deux thèses[1] afin de les disjoindre, et les disjoint pour éviter de les confronter et pour stimuler le réflexe conditionné qui impose à l'esprit la seconde. La relation grammaticale la plus neutre permet cette opération et assure par sa correction syntaxique le fonctionnement logique de l'irrationnel refus du principe de non-contradiction. A la cohérence rationnelle se substitue une cohérence d'un nouveau type, rappelant le travail du rêve chez Freud ; cohérence « névrotique », typique, selon certains chercheurs, du discours idéologique.

« Jean Ricardou évoque, dans ses « Prologues » aux *Problèmes du Nouveau Roman,* « les rhétoriques honteuses qui composent ces langages frelatés », « utilisés pour emporter la conviction » et qui, asservissant « les pouvoirs créateurs du langage », « viennent doubler, renforcer insidieusement les « idées » que l'on souhaite répandre ». Ce sont ces rhétoriques, porteuses de messages clandestins, que nous avons tenté de démasquer par une lecture seconde du *Monde,* afin de réduire ce que Jean Ricardou appelle, selon une heureuse formule, « le second analphabétisme ». Pour ceux que le problème intéresse, nous voudrions, à défaut de l'étude systématique qui s'imposerait, indiquer, à partir d'exemples nouveaux, quelques directions de recherche. »

Aimé Guedj et Jacques Girault s'en prennent plus particulièrement à un article du 10 décembre 1969

1. Les auteurs, dans ce paragraphe, font allusion à une analyse qu'ils viennent de pratiquer sur un article d'André Fontaine « La guerre civile froide » (pp. 99 et 102). Il serait trop long de le reproduire ici. Mais il est important de retenir la qualification des procédés — du style et de la logique — tels que les relèvent Aimé Guedj et Jacques Girault.

(« Gaullisme et communisme ») et dû à celui qui va sous peu devenir le successeur d'Hubert Beuve-Méry.

> « On retrouve dans ce texte les fausses symétries typiques de l'objectivité : l'apparent renvoi dos à dos des parties qui repose en fait sur une dissymétrie masquée par la syntaxe (p. 134). »

A l'appui, les auteurs retiennent, par exemple, une phrase comme celle-ci :

> « Ce n'est pas évidemment pour se ménager le Parti communiste que cette diplomatie[1] a été décidée par le général. Mais, en la pratiquant, il le neutralisait en partie. Ce n'est pas davantage pour sauvegarder uniquement cette politique que le Parti a contribué objectivement à maintenir ou rétablir l'ordre en mai 1968 et partant à sauver — provisoirement — le général de Gaulle. »

Passage qu'ils décortiquent en ces termes :

> « Le parallélisme de la construction (« ce n'est pas pour... que/Ce n'est pas davantage pour... que »), l'homologie des verbes (« ménager/sauvegarder ») et des adverbes (« évidemment/uniquement ») les dénégations symétriques — toute cette rhétorique donne une impression d'équilibre et de mesure conforme à l'esprit classique du discours objectif. Cependant, si « évidemment » disculpe le général de toute collusion avec le Parti, « uniquement » inculpe celui-ci. Enfin, la seconde phrase est incohérente : « pour » signale une intention, une motivation subjective (« pour sauve-

1. « La thèse de J. Fauvet, indiquent A. Guedj et J. Girault, est que « les orientations de politique étrangère » ont joué un rôle déterminant entre « gaullisme et communisme ».

garder... cette politique ») ; « objectivement », en revanche, ôte toute valeur à cette motivation, supprime toute référence au « pour... que » qui l'introduit. Il y a donc rupture de construction, non au niveau de la syntaxe, mais du lexique : la seconde proposition (« que le Parti a contribué objectivement... ») détruit le sens de la première, qui pourtant la régit (« Ce n'est pas pour... »), et nous offre le choix entre deux lectures :

— soit la dénégation n'est pas convaincante (ou privilégie alors l'adverbe de la principale : « uniquement »).

— soit la dénégation est sans objet (ou privilégie alors l'adverbe de la subordonnée : « objectivement »).

« D'ailleurs pourquoi choisir ? Par le jeu des adverbes, par la réversibilité des fonctions (principale/subordonnée), la phrase, constamment, bascule. La collusion subjective partielle (« pas uniquement pour ») et la collusion objective totale n'imposent pas le choix entre deux lectures contradictoires. Elles se renforcent mutuellement et conduisent à une même condamnation. La phrase, par sa construction, son incohérence *contrôlée*, épouse admirablement les méandres d'une pensée aussi ambiguë dans sa démarche que catégorique dans ses conclusions. »

Ces conclusions, pour les deux marxistes, sont inscrites dans le paragraphe de Jacques Fauvet qui précède et qu'ils rappellent :

« Ce n'est qu'à partir de 1963 que les communistes commenceront à reconnaître les « aspects positifs » de la politique étrangère du général de Gaulle, tout en combattant son action dans les autres domaines et en sacrifiant beaucoup, contre le régime, à la politique d'unité de la gauche, qui aboutit au ballottage présidentiel de 1965. »

Suit une série d'observations d'Aimé Guedj et Jacques Girault :

> « Encore une fois, une distorsion se produit entre le sens clandestin de la phrase et sa construction syntaxique : « en sacrifiant... » ne se situe pas sur le même plan que « tout en combattant... » dans l'opposition à « commenceront à reconnaître... » (...) L'auteur suggère ainsi qu'une solidarité profonde lie pour l'essentiel le Parti communiste au régime (l'orientation de la politique étrangère n'est-elle pas déterminante pour le Parti... de l'étranger ?). Collusion objective dont le Parti se défend mal, qu'il sacrifie comme malgré lui, on ne sait par quel masochisme et au prix de quel déchirement ! Tout est dans l'incise qui pervertit le sens général de la phrase et qui le pervertit d'ailleurs... incidemment.

Enfin, dans les conclusions :

> « Il y aurait encore beaucoup à dire sur cet article de Jacques Fauvet. Sans être inépuisable, il est trop riche en procédés pour que nous puissions tous les analyser. (...) Le Parti embourgeoisé, intégré dans la société de consommation, refuse les vaches maigres de la révolution. C'est un thème que nous avons déjà rencontré. Mais ici, simplement postulé, il fonctionne par sa vitesse acquise. Servant de preuve, il s'est plus à prouver. Système clos, d'une admirable rigueur *formelle,* le discours idéologique tourne à vide : il porte en lui-même sa propre justification ; il est à lui-même sa propre vérité. »

⁂

Le plaisant est que *l'Humanité* de l'été 1975 s'est fait largement l'écho des articles de Jacques Fauvet et du *Monde* dans l'affaire *Republica.*

Que les communistes français tirent avantage de l'autorité du *Monde* lorsque celui-ci va dans leur sens est de bonne guerre. Ils seraient cependant mal venus de soutenir aujourd'hui que les procédés propres à agir « frauduleusement » sur les consciences (et qu'ils ont si bien analysé les premiers [1]) ont par enchantement disparu. Ils auraient quelques difficultés à prouver que ces procédés-là ne truffent pas — par exemple — l'éditorial « Révolution et Liberté » signé J.F.

Mais comme Aimé Guedj et Alain Girault, ils limitent leur analyse aux tricheries du *Monde* qui les concernent.

En quoi, d'ailleurs, ils n'agissent pas différemment d'autres partis, d'autres familles d'esprit qui ne tiennent compte dans le journal que des distorsions ayant trait à leur cause.

Ainsi, parce qu'il ne prend en considération que ses centres d'intérêts particuliers, chacun omet de poser le problème de *l'essence* du *Monde.*

---

1. A cette restriction près qu'Aimé Guedj et Jacques Girault n'ont pas regardé si les mêmes méthodes ne s'appliquaient pas à d'autres.
C'est ainsi qu'ils ont cru ou feint de croire que Jacques Fauvet dans l'article « Gaullisme et communisme » « privilégiait » le gaullisme. Ce qui n'est évidemment pas le cas. Le gaullisme n'est ici « privilégié » que dans la mesure où on se sert de lui pour attaquer le P.C. En d'autres moments, ce sera le « gaullisme » qui sera déprécié par des moyens dialectiques comparables. D'autre part, ils négligent de s'attarder sur les raisons de l'anticommunisme du *Monde* en 1968 : le P.C. est rendu responsable de l'échec du mouvement. Ce que *le Monde* a avant tout reproché au P.C.F., c'est de n'être ni aussi révolutionnaire ni aussi antigaulliste qu'il l'eût souhaité.

Les communistes, tout en affirmant que le journal les calomnie et qu'il constitue un des ultimes avatars de l'idéologie bourgeoise, se félicitent que celui-ci leur rende, de temps à autre, d'éminents services. Tous ceux qui s'opposent au PC au contraire se rassurent au vu de la méfiance que le journal lui inspire et qui concorde mal avec le grief de « crypto-communisme ».

Mais il y a pis : loin de les réprouver, chacun s'accommode allègrement des mauvais traitements subis par l'adversaire, le concurrent ou le voisin.

Les uns ferment les yeux sur les méthodes intellectuelles et sur les prises de position implicites du *Monde* au nom de ses positions explicites (dont ils lui savent gré) en faveur de l'avènement de la gauche au pouvoir en France.

Du côté de la majorité gouvernementale, on trouve toujours une faction pour se divertir du croche-pied porté à une autre dans les colonnes du quotidien. Ou bien encore le pouvoir politique qui, d'un côté, se plaint de la mauvaise foi du journal, prendra en considération sa faveur auprès des pays arabes et les avantages qu'en tire la France.

Ailleurs, des institutions, des corps, des personnes — qu'opposent les inéluctables rivalités de la vie — apprécieront de trouver dans *le Monde* un déversoir à des rancunes et passeront sur le reste...

Parce qu'ils sont, par loi de nature, divisés, les hommes acceptent une inacceptable corruption de l'esprit.

Mais comment en percevraient-ils l'étendue ? Ils ont été universellement conviés à conclure que le quotidien de la rue des Italiens, du moment qu'il usait de la tromperie avec tout le monde, ne trompait personne. Ils ont admis que, déformant successivement toutes les idées, toutes les causes, il n'était inféodé à aucune. Ils ont appris à penser que des partis pris, pourvu qu'ils paraissent aller en sens contraire, s'annulaient.

Et, ne parvenant pas à définir nettement les orientations politiques du *Monde,* ils en ont déduit que celui-ci était libre.

Toutes ces raisons les ont détournés de se poser une question fondamentale.

Et si la pseudo-vérité, le crypto-gauchiste, le crypto-Tartuffe, l'esprit faux, le faux-fuyant, les faux-semblants et les faux jetons étaient d'abord mis au service de la fausseté ?

Et si la façade d'objectivité, les petits détails qui font vrai, les protestations de sincérité, la part réservée aux faits et aux témoignages, la place concédée à l'honnêteté avaient pour mission de mieux faire croire le mensonge ?

CHAPITRE X

LES FINESSES DU *MONDE*

Les méthodes que révèle l'étude des textes de Jacques Fauvet lui appartiennent-elles en propre ? Ou, au contraire, en perçoit-on des échos dans l'ensemble du journal? Y retrouve-t-on, à quelques différences près, des modes de pensée, des tonalités affectives et mentales proches ? Et, derrière les variations, reconnaît-on un thème, une ligne mélodique commune ? La sourdine et la grosse caisse sont-elles employées avec régularité au service des mêmes effets ? Un usage constant est-il fait des accords dissonants — sans parler des couacs ?

Voilà quelques-unes des questions qu'il importe maintenant d'approfondir. Le premier obstacle est d'ordre quantitatif. Si l'on a bien compris l'un des griefs adressés à Raymond Aron par Jacques Fauvet, celui-ci souhaite qu'on cite très largement, sinon *in extenso,* les articles du *Monde,* dès qu'on les « incrimine ». A ses yeux, les extraits offerts jusqu'ici de son œuvre complet d'éditorialiste devraient donc sembler trop courts. Impossible pourtant de les multiplier, sans s'exposer à alourdir et à devenir illisible.

Mais que dire — et que faire — dès qu'il s'agit du contenu global du journal ?

A raison d'une quarantaine de pages par jour, et d'un peu plus de trois cents numéros par an, on atteint vite en quelques années un total avoisinant les 100 000 pages. Volume auprès duquel toutes les sommes théologiques ont l'air de bluettes...

Dépouiller le tout, débusquer dans la masse les paragraphes, les phrases, les mots destinés à orienter ou à désorienter l'esprit des lecteurs : même la Sorbonne, ou plutôt ce qu'il en reste, a reculé. Et, comme elle, ont reculé beaucoup d'hommes fidèles aux traditions intellectuelles de l'Université. Ulcérés par les sophismes et la mauvaise foi du journal, ils ont quelquefois, chacun de son côté, entrepris de collationner les articles tendancieux, les affirmations fallacieuses, mais ils ont renoncé à s'engager plus avant. L'amoncellement des coupures leur barrait la route. Il les exposait à la forme la plus cruelle de l'embarras du choix — celle qui survient lorsque le choix est à faire entre des éléments hétéroclites. Pourquoi s'attarder sur une rubrique plutôt que sur une autre ? Quelles distorsions retenir quand elles portent sur des événements dont les détails sont sortis des mémoires ? Et surtout comment expliquer que les informations soient quelquefois dirigées, orientées en sens apparemment divergent ? Il faudrait, en outre, être un Pic de la Mirandole du XXe siècle pour entamer l'étude détaillée d'un quotidien organisé pour gloser *de omni re scibili*. Une efficace dissection du *Monde* eût supposé le travail d'une équipe. Cette équipe a manqué. Le découragement et, quelquefois, le manque de courage en sont cause.

Fort de la situation, le journal a toujours bénéficié d'une impunité morale. Abrité derrière un compact et colossal rempart de papier, il a échappé à tout assaut sérieux de la critique. La hauteur du rempart lui a donné si grande opinion de lui-même qu'il a fini par se prendre pour un géant. Il a poussé la superbe au point de mettre au défi quiconque de trouver le moindre défaut dans la cuirasse de vertu dont il se pare — et de prouver que l'impressionnant géant n'est qu'un géant de papier.

Le Monde a encore tiré avantage de la difficulté que l'intelligence rencontre à discerner les fins, morales ou politiques, auxquelles il obéit. A première vue, elles sont mystérieuses. Les dirigeants du journal et leurs collaborateurs nient qu'elles existent de façon déterminée. Ceux des lecteurs qui éprouvent un malaise croissant devant le ton et le fond de certains articles n'ont jamais réussi à les identifier. Ils se demandent s'il y a un secret et si ce dernier peut être percé. Ils balancent. Ils ne parviennent pas à savoir si *le Monde* poursuit un but. Ils s'interrogent.

La perplexité les a toujours paralysés. Ils perçoivent plus ou moins nettement que les moyens utilisés par *le Monde,* en matière d'information, sont sans rapport avec la noble mission que le journal prétend servir. Mais ils n'arrivent pas, en partant de ces moyens, à remonter vers la raison qui dicte leur emploi.

Toute fin, d'ordinaire, quand elle est sue, justifie (ou, au moins, explique) les moyens. Ne peut-on envisager d'appliquer la proposition réciproque à propos du *Monde ?* Les moyens auxquels il recourt n'expliquent-ils pas, n'éclairent-ils pas (à défaut de les justifier) ses fins ? Et ne les jugent-ils pas dès qu'on les rapporte au mot de Karl Marx : « Un but qui a besoin de moyens injustes n'est pas un but juste. »

Les moyens — les moyens d'expression, les moyens stylistiques — du journal, dès qu'il s'agit d'infléchir l'information, sont subtils. Mais leur examen, ouvre de vastes horizons. L'accès aux fins du *Monde* passe par un bref parcours des finesses du *Monde.*

⁂

Premier cas de figure : *le Monde* apporte son appui, accorde sa sympathie (plus ou moins ouvertement) à une cause.

Regardons comment il a rendu compte des événements d'Indochine, au printemps de 1975, et plus particulièrement, des événements du Cambodge. Il s'empresse de publier en première page, en caractères italiques encadrés d'un filet (propre à en renforcer l'impact) une dépêche décrivant l' « enthousiasme » de la population de Phnom Penh libérée par les « Khmers révolutionnaires ». N'importe quel rédacteur en chef averti est en mesure de renifler que pareille dépêche, venant d'une ville où toutes les communications sont coupées, sent à plein nez la propagande ou la contrainte. Mais qu'à cela ne tienne ! *Le Monde* fait paraître l'information avec une présentation qui en souligne et l'exclusivité et l'importance et le sensationnel. Il survient cependant une difficulté. L'univers apprend avec effroi que les vainqueurs ont entrepris de vider la ville et de jeter, du jour au lendemain, ses deux millions d'habitants démunis, hagards, terrorisés, sur les routes. Dans le même temps, ils ont enfermé tous les étrangers, tous les Européens, tous les journalistes de la presse mondiale. Parmi eux, celui du *Monde,* qui se trouvera confiné dans l'enceinte de l'ambassade de France.

On aurait pu attendre que l'exsanguination d'une capitale arrache au *Monde* une série de solennelles protestations devant un crime contre l'humanité d'une nature sans précédent dans l'Histoire. On aurait pu attendre que le journal dénonce avec sa vigueur accoutumée — ou au moins déplore — l'atteinte portée à la liberté de la presse et aux droits de l'information. On n'aurait pas été surpris que son envoyé spécial révise quelque peu son enthousiasme pour la cause victorieuse des « Khmers rouges ». Voici le préambule du reportage publié à son retour :

> « Le premier et le plus spectaculaire geste des révolutionnaires Khmers après leur victoire le 17 avril a été de vider Phnom Penh de ses habitants — dont les trois quarts étaient des réfugiés

> qui s'y étaient repliés depuis le début de la guerre — et d'appliquer la même mesure à toutes les villes, à tous les villages restés jusqu'à la dernière minute sous contrôle républicain[1]. »

A première vue, on est tenté de rendre hommage à la sérénité du ton : la platitude du style paraît même d'excellent aloi. Cependant, dès qu'on s'y attarde un instant, le choix du vocabulaire est édifiant. L'auteur, sans taire la réalité — c'était difficile — emploie des mots propres à faire taire ce qu'elle a de criant. Pourquoi la tragique décision des révolutionnaires khmers est-elle qualifiée de « geste spectaculaire » ? Etrange euphémisme... Le substantif évoque la notion de haut fait et d'exploit (cf. la geste et la chanson de geste), la générosité (cf. un geste généreux), l'attitude théâtrale (cf. la gestuelle), au pis la maladresse (cf. un geste maladroit), bref, tout ce qu'on veut, sauf l'idée de crime. L'adjectif « spectaculaire » va dans le même sens : assurément, le spectacle de centaines de milliers d'hommes, de femmes et d'enfants lancés sur les routes a de quoi faire pâlir toutes les superproductions cinématographiques. L'expression « geste spectaculaire » situe la misérable foule hors de la réalité concrète : la sueur, la faim, les larmes et la mort. Elle réduit les victimes à un rôle de figurants sur la scène de l'Histoire. Elle détourne de l'indignation et de la pitié. Elle fait appel à l'esthétique à la place de l'éthique. Elle substitue le frisson d'horreur sacrée, mais lointaine, qu'on éprouve devant la fresque rétrospective des grandes migrations humaines, au frisson d'horreur tout court que devrait inspirer le présent. Est-ce encore par hasard qu'une entreprise offrant tous les caractères de la démesure est décrite comme une « mesure » ? Le recours à un vocable emprunté au langage administratif produit un effet lénifiant et rassurant. Et qu'apprendra-t-on quelques

1. *Le Monde* du 10 mai 1975.

lignes plus bas à propos de cette mesure ? Qu'elle est cruelle, impitoyable, monstrueuse ? Non. Elle était tout simplement « inattendue ».

La fadeur de l'énoncé procède donc bien d'une neutralité postiche. Ce qu'on avait pris pour la platitude du style est signe d'une volonté d'écraser, si l'on peut dire, les faits. Cette volonté affleure encore dans l'incise : « Les trois quarts étaient des réfugiés qui s'y étaient repliés (dans la ville) depuis le début de la guerre. » Le lecteur est invité au passage à se rappeler que pour ces trois quarts de la population la « mesure » revenait à les écarter d'une cité avec laquelle ils n'avaient pas de profondes attaches.

Ainsi, dès l'introduction, l'article procure-t-il un aperçu de l'un des procédés favoris du *Monde :* jouer sur les associations d'idées déclenchées furtivement par les mots.

Accusera-t-on cette analyse de reposer sur un procès d'intention ? Mais affirmera-t-on aussi qu'aucune intention n'a présidé à l'élaboration du titre de l'article :

« Sur les routes des dizaines de milliers de réfugiés... » ? Pourquoi des « *dizaines* de milliers » ? « Des *centaines* de milliers » n'aurait-il pas été arithmétiquement plus exact, n'aurait-il pas apporté une impression plus juste, du moment qu'il s'agit de l'exode de deux millions d'habitants ?

Allons un peu plus loin. A la rencontre d'un second procédé du *Monde.* Celui-ci consiste en un détournement de sensibilité — comme il y a des détournements de fonds. Le journal, pour étouffer les sentiments qui correspondraient légitimement à la situation, presse sur un bouton commandant des réflexes affectifs conditionnés :

> « Certains militaires exigeaient un départ rapide, d'autres se montraient plus accommodants. Les gens, affolés, obtenaient d'un groupe un délai

pour se voir prier de déguerpir dans l'heure par un autre venu peu après. Les riches ne savaient pas quoi entasser dans leur voiture. Pour les pauvres, le choix était facile. »

Avec quelle habilité cette dernière phrase fait-elle passer à l'arrière-plan l'essentiel en aiguillant vers les sentiers battus ! Le rappel de la distinction entre les riches et les pauvres estompe le sort commun de la population. La pitié pour les riches décroît. Quant aux pauvres, ils semblent bien plus à plaindre pour leur pauvreté que pour la contrainte à laquelle ils sont brutalement soumis. Après tout, ils n'ont pas tellement eu à perdre en quittant la ville...

La même ficelle est utilisée pour amorcer une excuse des exactions commises par les soldats : vols, pillages, incendies. C'est tout juste si l'auteur ne s'extasie pas sur leur dédain de la société de consommation : « Mais pour ces hommes l'argent ne vaut rien. Sans doute considéraient-ils que ce n'est pas voler que de se servir chez les riches ou de brûler leurs biens. »

La description des abus et des méfaits commis (il serait plus juste de parler de leur mention tant la nomenclature est avare de détails capables d'émouvoir) fournit encore l'occasion d'entrevoir un troisième procédé du *Monde :* semer le doute. Le reporter recueille des témoignages, les cite, mais, parallèlement, réserve la part belle à tout ce qui est susceptible de semer un doute. L'article, tout entier, est truffé de ces mols oreillers, de ces confortables amortisseurs de l'inquiétude : « Cependant, certains témoignages ne sont pas précis, d'autres se contredisent, des personnes ont modifié leur version au fil des jours. L'émotion, la colère ont pu pousser à des exagérations. » Ou encore :

« Certains témoins, arrivés à l'ambassade démoralisés, ayant perdu ou réalisant que l'on ne pouvait traiter avec le nouveau régime comme avec l'ancien ont parlé de « choses épouvantables », de « massacres ». Il s'agissait en fait de septs soldats tués devant une usine. Si surprenant que cela puisse paraître personne n'a vu quelqu'un être tué devant lui. Quant aux étrangers, aucun n'a été blessé. »

On notera, incidemment, le soupçon que les racontars sont peut-être dus à la rancœur de ne pouvoir « traiter avec le nouveau régime comme avec l'ancien ». On comparera la prudence que *le Monde* met ici à trier les témoignages avec la promptitude qu'il met, en d'autres occasions, à accueillir n'importe quelles déclarations, n'importe quels témoignages — sans se soucier d'en vérifier le bien-fondé.

Le parti pris d'indulgence, sinon d'absolution, confine parfois à la bouffonnerie : « Plusieurs personnes que nous avons rencontrées ont parlé de vols, de pillages, d'incendies. Les soldats semblaient avoir un certain goût pour les radios, bien qu'ils aient épargné la nôtre. » Ah ! Vraiment, le fait que la soldatesque a épargné le poste de radio de l'envoyé spécial du *Monde* indique qu'elle a conservé le sens des valeurs essentielles, le respect de la dignité de la véritable personne humaine et qu'on ne saurait se prononcer sur son comportement sans s'aventurer dans la zone périlleuse des jugements téméraires.

La même impudente jobardise apparaît à propos de l'estimation des morts. L'auteur concède qu'elle est allée dans certaines bouches jusqu'au chiffre de 100 000 : « Mais il est impossible d'en avoir la preuve. Il est surprenant que les gens qui ont pris les routes nationales 1, 4 et 5 — les principales voies de l'évacuation — n'aient vu que quelques morts, souvent des militaires. Nous n'avons rien vu non plus pendant trois jours et demi de route entre Phnom Penh et la frontière. On est loin de ces milliers de cadavres pourrissant au soleil aux portes de la ville, dont certains ont parlé, que personne n'a vu de ses propres yeux, mais dont ils ont eu vent par le truchement d'un ami, d'une connaissance. »

Il est quand même « surprenant » qu'un journaliste verse d'emblée le fait de n'avoir rien vu au crédit de ceux qui l'ont empêché d'aller regarder. Mais il est vrai que pour *le Monde* l'essentiel n'était pas de voir mais de comprendre.

Il s'engagera très loin dans cette voie :

> « Des responsables ont dit à leurs interlocuteurs de l'ambassade de France que cette évacuation avait été jugée indispensable, compte tenu d'expériences antérieures similaires, afin de « réorganiser la ville ». Il fallait « révolutionnariser » les citadins, les « purifier » en les envoyant travailler dans les campagnes. De même que souvent, en Asie, la chute d'une dynastie a été accompagnée par l'abandon de sa capitale, de même les paysans khmers ont voulu détruire ce qu'ils considéraient comme satellite de l'étranger, français d'abord, puis américain, cette ville qui s'était bâtie avec leur sueur sans rien leur apporter en échange. »

Sans la moindre réserve *le Monde,* maintenant, se fait l'écho de propos qu'il tient pourtant, semble-t-il, de seconde main. Et quels propos ! Avec quelle fidélité l'auteur répète-t-il des considérations pseudo-historiques ! Où pourrait-il aller pêcher des « expériences » (encore un délicieux euphémisme !) « antérieures » et « similaires » à l'évacuation de Phnom Penh — qui est justement sans précédent ? Et comment, après avoir dit que les trois quarts des habitants étaient des réfugiés (donc des campagnards) — ose-t-il faire part, sans nuance, de la volonté des « paysans khmers » de détruire un « satellite de l'étranger ? » [1]

---

1. *Le Monde,* par ailleurs, s'offusquera de l'incrédulité qui, au temps d'Hitler ou de Staline, régnait au sujet des atrocités des deux

Pourtant, il a subsisté quelques phénomènes rebelles à la bonne et systématique volonté compréhensive du *Monde.* Loin de lui de les passer sous silence ! Un journal honnête se doit de ne rien celer de ce qui lui paraît contrevenir aux bonnes manières ou au bon droit.

En vertu de quoi, les lecteurs du quotidien de la rue des Italiens ont été gratifiés d'un morceau qui illustre un quatrième des procédés du *Monde,* le sophisme :

> « Parmi les événements que nous n'avons pas compris, il y a eu l'évacuation totale des hôpitaux, qui abritaient à la chute de la ville, environ vingt-cinq mille blessés et malades, dans des conditions sanitaires effroyables — parfois des patients partageaient leur lit avec le cadavre d'une femme morte depuis plusieurs jours — manquant de médecins et de médicaments. Combien de ceux partis sur un lit à roulettes ou sur un brancard sont morts en route ? Mais aussi combien seraient morts de toute façon dans la pourriture ? »

On ne sait ce qu'on doit admirer le plus entre le suave « nous n'avons pas compris » et le « de toute façon » qui atténue l'atrocité de l'évacuation puisque ceux qui sont morts en route seraient morts « de toute façon ». A ce compte, on peut vraiment tout justifier. L'historien qui parlera des Cambodgiens dans cent ans sera aussi en droit d'écrire qu'ils seraient morts « de toute façon ». Et dès aujourd'hui rien n'interdirait à un autre historien de dire des septuagénaires qui ont pu être brûlés à Hiroshima ou à Auschwitz qu'ils seraient morts « de toute façon ».

Soutiendra-t-on qu'un article aussi honteux corres-

---

tyrans. Mais à supposer qu'elles aient été rapportées dans le style employé par *le Monde,* lorsqu'il s'agit de Phnom Penh, qui aurait été convaincu ?

pond à un égarement exceptionnel du *Monde ?* Il suffira de se reporter au numéro du 14 octobre 1975. A cette date, toute la presse fait état d'une autre « mesure » prise par les Khmers rouges. Elle a obligé tous les habitants du pays à changer de nom et à adopter une nouvelle identité imposée par les autorités. But avoué de l'opération : empêcher les anciens opposants de se retrouver et d'établir un contact entre eux. Un membre de l'entourage de Sihanouk qui venait de quitter Pékin pour Paris a laissé échapper, rapporte le journal, cette confidence désabusée : « Pourquoi rentrer au Cambodge ? Je ne pourrai jamais retrouver mes douze enfants qui ne portent même plus mon nom. » Mais pense-t-on que *le Monde* conformément à ses principes s'indignera d'une entreprise que même Orwell n'a pas imaginée ? Non seulement il laissera entendre qu'il s'agit d'une « mesure de sécurité » mais les seules appréciations qu'il livrera seront contenues dans le « six crochets » suivant : « En Afrique Noire, plusieurs gouvernements ont contraint les habitants à abandonner leurs prénoms chrétiens, et dans certains cas, leurs noms patronymiques, lorsqu'ils étaient d'origine étrangère. C'est pour lutter contre l'aliénation culturelle, et au nom du retour aux sources de l'Africanité, que le gouvernement du général Mobutu Sese Seko (anciennement Joseph-Désiré Mobutu) au Zaïre, du défunt président Ngarta (ex François) Tombalbaye du Tchad et du général Gnassingbe (ex Etienne) Eyadema du Togo ont demandé à leurs compatriotes d'imiter leur exemple, en choisissant des prénoms authentiquement africains. »

Pour faire envisager la légitimité de la décision des révolutionnaires khmers, *le Monde* ne recule devant rien.

Abusant une fois de plus des sentiments ancrés dans la sensibilité de ses lecteurs (la réprobation de la colonisation), il pose une équation qui n'est rien d'autre qu'un arbitraire amalgame, sous badigeon pseudo-culturel. Certes, il a soin d'indiquer que c'est « pour lutter contre l'aliénation culturelle » que les gouvernements d'Afrique Noire ont poussé leurs ressortissants à changer de nom. Certes, encore, il précise qu'il s'agissait essentiellement de modifier les prénoms chrétiens. Il n'empêche que ce commentaire (en caractère gras) sème la confusion. Une confusion au bénéfice des Khmers rouges. Une confusion intellectuellement et politiquement inadmissible. Une confusion qui témoigne d'une totale ignorance ou d'un profond mépris des Africains chez qui le nom est souvent, par tradition, associé au destin spirituel. Car c'est en fonction de traditions de cet ordre (même si elles se sont trouvées associées à un désir d'affirmation nationaliste) que des changements d'identité ont été pratiqués en Afrique. Mais nullement en vue d'empêcher les habitants de se retrouver et de reprendre contact entre eux comme c'est le cas pour le Cambodge où d'ailleurs les noms abolis sont, sauf exception, d'origine parfaitement asiatiques, et non pas européennes. Ce qui réduit à néant tout ce que *le Monde* susurre.

Mais dès qu'il s'agit de ciseler des raisonnements de pacotille, *le Monde* est orfèvre. La relation qu'il avait faite au printemps des événements de Phnom Penh lui avait valu une attaque de son confrère *l'Aurore*. Le 16 mai 1975, il y répondait en ces termes :

> « ... *L'Aurore* accuse, ce 15 mai, *le Monde* d'avoir participé « à une campagne destinée à faire croire à l'opinion que l'exode de plus de deux millions de Cambodgiens est un phénomène après tout naturel ». On se permettra de demander à l'auteur de ce texte comment il lit notre journal. Le mot « naturel » y a bien été employé mais seulement pour constater (« L'énigme khmère », bulletin de l'étranger du 9 mai) qu'il *aurait* été certes *naturel* que « l'énorme masse des réfugiés fût renvoyée dans les zones rurales ». Mais nous avons aussitôt posé la question : « Pourquoi faire subir

> au reste de la population le purgatoire de l'exil ? » et conclut que le « dogmatisme anonyme » des Khmers rouges risque de leur faire perdre l'important capital de sympathie qu'ils avaient amassé pendant cinq ans de lutte courageuse ».

Cette fois encore, l'assurance hautaine du quotidien frôle l'effronterie. Il a bonne conscience parce que son indépendance d'esprit a été jusqu'à qualifier l'exil de « purgatoire » ; *enfer,* quand même, n'eût-il pas été plus approprié ? « *purgatoire* » n'implique-t-il pas suavement l'idée d'une purification préalable à l'entrée au paradis ? Et *exil* correspond-il bien à la réalité quand il s'agit d'un *exode* ? Il a poussé la curiosité jusqu'à demander à la cantonade aux Khmers rouges « pourquoi » ils ont agi comme ils ont fait. Il a été dans la sévérité jusqu'à voir du « dogmatisme anonyme » dans leur comportement. Rien de moins. Mais évidemment rien de plus.

Sa rigueur enfin lui a permis de détecter l'existence du véritable danger que court la morale dans cette affaire : le « risque » pour les Khmers rouges de s'aliéner des sympathies. Dieu merci, pour *le Monde,* cela ne dépassera pas le stade du risque...

Il y a mieux. *Le Monde* pour river son clou à *l'Aurore* entend puiser des preuves de sa bonne foi à l'intérieur même du reportage de son envoyé spécial à Phnom Penh. Il en extrait deux paragraphes. Il reproduit le passage où l'auteur déclare que parmi les événements qu'il n'a pas compris « il y a eu l'évacuation totale des hôpitaux », etc. Mais *le Monde* supprimera la phrase scandaleuse : « Combien seraient morts de toute façon dans la pourriture ? » On entrevoit tout d'un coup ce que veut dire l'intransigeante honnêteté intellectuelle du journal. Ce qu'il a écrit, il l'a écrit. Et il en assume la responsabilité. Il montre qu'il n'a aucune gêne à le répéter. Il se cite lui-même. Quand il pratique une coupe, il a la loyauté de l'indiquer par le signe conventionnel : (...) Las ! il cache qu'il a profité de l'occasion pour tronquer son propre texte.

Cependant, pour les besoins de la cause, l'orgueilleux journal n'hésitera pas, s'il le faut, à sacrifier son orgueil, sa réputation de lucidité et de perspicacité. Il fera l'ignorant, l'innocent, la bête. Il sera le dernier à découvrir qu'au Sud-Viêt-nam, au printemps 1975, l'envahissement du pays par les Nord-Vietnamiens pèse beaucoup plus que le soulèvement des forces révolutionnaires locales. *Item,* dans un bulletin de l'étranger du 8 mai 1975, consacré au Laos, il écrit :

« Conforté par les victoires de ses amis khmers et vietnamiens, le Pathet-Lao estime peut-être le moment venu d'avancer quelques pions. Mais il est trop tôt encore pour affirmer qu'il veut sérieusement grignoter le territoire tenu par la partie de Vientiane. Il a déjà marqué tant de points, qu'il est assuré de la victoire aux élections de 1976. »

Propos apaisants.

Propos inquiétants quand on les compare à un autre bulletin paru trois mois plus tard (mardi 26 août 1975) après que les révolutionnaires ont pris le pouvoir dans la capitale laotienne : « Depuis le printemps dernier, une telle issue apparaissait comme la suite logique des bouleversements survenus au Cambodge et au Viêt-nam. »

Quand *le Monde* au fait, a-t-il trompé ? Lorsqu'il a affirmé qu'il ne pouvait pas prévoir ? Ou lorsqu'il a laissé entendre qu'il avait prévu ?

A partir de ces quelques remarques le lecteur pourra juger comment il a été et comment il est informé par son journal sur les questions de l'Extrême-Orient. Il pourra peut-être mesurer la foi qu'il doit accorder à la péroraison de Jacques Fauvet (cf. sa réplique à Raymond Aron et Edgar Morin) : **« Un journaliste** n'est **jamais qu'un journaliste, au moins dans un journal** qui n'est au service ni d'un parti, ni d'une idéologie, ni, bien entendu, d'un intérêt. Il n'a pas à définir une doctrine ; il a d'abord à observer et à décrire la réalité. C'est à partir d'elle et non de principes ou théories qu'il est à même, s'il le faut, de défendre des valeurs. »

⁂

Deuxième figure : *le Monde* voue de l'antipathie à une cause. L'Etat d'Israël entre dans ce cas. Le journal a bien le droit de prendre dans les conflits du Moyen-Orient la position qu'il veut et personne ne le lui conteste. Personne non plus ne nie que les éléments de ce conflit sont complexes et excluent toute attitude manichéenne. En revanche, ce qui est contestable, c'est la façon dont *le Monde* se donne l'air de se placer au-dessus de la mêlée. Il ne prend pas ouvertement parti. Il se contente de manifester sournoisement son parti pris. A la défaveur quasi constante des Israéliens. Pour entamer, éroder, ruiner leur cause, il va donc recourir aux mêmes procédés dont il a usé pour soutenir une cause, mais en les inversant. Là où il mettait des bémols, il mettra des dièses.

Les associations d'idées dépréciatives seront créées en empruntant (comble de l'art !) à la réprobation de l'antisémitisme et du nazisme que le quotidien est sûr de rencontrer dans le public. Le journal l'exploite pour suggérer que les sionistes sont en tous points, comportement, préjugés et passions, comparables aux antisémites de la vieille Europe et notamment de France puis, de fil en aiguille, aux hitlériens. « Une nouvelle « affaire Dreyfus ? » demande un titre du *Monde* du 24 janvier 1974 en évoquant l'éventualité de poursuites contre le général israélien Shamuel Gonen auquel quelques-uns de ses pairs et une partie de l'opinion publique reprochent les revers de la guerre du Kippour.

Certes, *le Monde* s'abrite en invoquant un titre voisin paru à Jérusalem le 9-1-1974 dans le journal *Haolam Hazé*[1].

Alibi douteux : un organe de presse qui se prétend sérieux examine la valeur d'une thèse avant de la répéter tout de go. Or celle-ci est manifestement absurde. Il faudrait déjà que le général Gonen soit un officier d'origine chrétienne ou musulmane pour que la transposition tienne debout. Il faudrait aussi qu'il y ait utilisation de « faux documents » contre lui, etc.

L'analogie particulièrement factice dès qu'il s'agit des juifs chez eux va réapparaître en filigrane le 21 mai 1975. Dans une série de reportages consacrés aux « Palestiniens entre le fusil et le rameau d'olivier », un article intitulé « Le Cauchemar » commence en ces termes :

> « *La question ne sera pas posée.* » Le lieutenant-colonel Gershon Orion, président du tribunal militaire de Naplouse, tranche sèchement : il ne permettra pas que ce procès soit « *politisé* ».

Or, qu'est-ce que le propos mis avec les guillemets d'usage dans la bouche du lieutenant-colonel Gershon Orion ? Une reproduction textuelle d'une phrase qu'il a prononcée le jour précis où un représentant du *Monde* était présent dans la salle d'audience ? Cela tiendrait d'une exceptionnelle coïncidence, car elle correspond, mot pour mot, à une formule célèbre d'un autre président de juridiction dans un autre procès. Le président s'appelait M. Delegorgue. La juridiction était la cour d'assises. Et le procès se déroulait à Paris en 1898. Quel procès ? Le procès d'Emile Zola poursuivi pour avoir écrit « J'accuse... ! » La formule de M. Delegorgue est devenue presque proverbiale — comme symbole de l'aveuglement et de l'entêtement en matière judiciaire.

---

1. « L'affaire Dreyfus d'Israël » sous la signature de Uri Avnery rédacteur en chef.

L'utiliser comme introduction permet de faire d'une pierre deux coups auprès des lecteurs cultivés (ceux que *le Monde* se flatte au premier chef d'attirer). Ils ne manqueront pas de percevoir un écho lointain de l'affaire Dreyfus et seront ainsi préparés à absorber ce qui va suivre [1]. Car le reste du compte rendu de l'audience donne l'image d'une justice inhumaine, caricaturale et glacée, indulgente aux tortionnaires, avec un procureur ricanant — image beaucoup plus proche des tribunaux nazis que de ceux qui ont jugé le capitaine Dreyfus. A l'appui de la ressemblance, l'auteur cite le cri d'une des avocates des Palestiniens inculpés, Me Félicia Langer : « Me Langer, rescapée des ghettos polonais, et dont le mari est l'un des survivants du camp de concentration de Buchenwald, proteste avec véhémence : « *Quelle honte ! Quel déshonneur vous infligez à notre peuple !* » Le rappel des souffrances de l'avocate — comme si d'ailleurs son cas était unique en Israël — vient à point conférer un poids accablant à ses accusations. L'objectivité voulait sans doute que ses propos fussent cités et son cruel passé évoqué. Mais l'objectivité exigeait aussi qu'ils fussent exactement situés au lieu d'entraîner l'esprit vers un amalgame suspect. Or, ce n'est que dans une note, en petits caractères, que *le Monde* donne, en la noyant au milieu d'autres considérations, l'indication de l'appartenance de Me Félicia Langer au comité central du Parti communiste israélien — indication qui jette un éclairage autrement net sur ses prises de position que le souvenir de sa vie dans les ghettos.

Ce n'est pas tout. Autant que faire se peut, le journal de la rue des Italiens met toutes les ressources de sa poésie à faire surgir des images assimilant les Pales-

1. Une nouvelle preuve de cette persévérance est apparue dans le n° du 21 novembre 1975 (*Le Monde à travers les livres*). Deux ouvrages, l'un de Félicia Langer, « Avocate israélienne », l'autre d'Israël Shahak, « Le racisme de l'Etat d'Israël », sont réunis sous un titre commun : « Deux « J'accuse ».

tiniens aux Juifs et les Israéliens aux persécuteurs européens des Juifs dans le passé. Ce sera, par exemple, une notation furtive à travers laquelle les émigrés d'URSS se verraient, pour un peu, décrits sous des traits répondant à la définition des beaux aryens, selon les critères des lois de Nuremberg :

> « Il n'est pas rare qu'à l'aérodrome de Tel-Aviv deux groupes d'hommes ployant sous leurs bagages se croisent et s'observent. *Les uns, blonds au faciès slave,* intellectuels moscovites ou paysans de Géorgie, retrouvent la patrie ancestrale du peuple hébreu. *Les autres, le teint basané et le profil sémite,* artisans d'Hébron ou intellectuels de Gaza, quittent là leur pays définitivement, parfois pour des pays aussi lointains que le Canada ou l'Australie [1]. »

Le Monde ne manquera pas non plus une occasion de parler de la « Diaspora palestinienne » : « Comme les juifs pendant deux mille ans, cette « diaspora » palestinienne ne cesse de répéter depuis un quart de siècle : « l'an prochain à Jérusalem [2]. »

Une autre technique va permettre au lendemain de la guerre du Kippour de suggérer un parallèle entre la destruction de la ville de Kuneitra sur le plateau du Golan et l'anéantissement du village d'Oradour-sur-Glane dans le Limousin en 1944 par les SS. Après avoir publié des versions entièrement contradictoires quant à la date et aux circonstances où les murs de la cité ont été anéantis [3] *le Monde* n'ira pas jusqu'à affirmer que

---

1. C'est l'auteur du présent livre qui souligne. *Le Monde* du 9 janvier 1973 (Les Palestiniens aux Purgatoire I - les Apatrides).
2. Les Palestiniens de l'exode au terrorisme (*Le Monde* des 8-9 octobre 1974).
3. *Le Monde* a dit que Kuneitra était anéantie après la guerre des Six jours. Il a ensuite affirmé qu'elle était intacte avant la guerre du Kippour.

les habitants ont été massacrés et ensevelis sous les ruines. Ce serait s'exposer à des démentis trop faciles ou trop éclatants. Le journal commencera par faire paraître sur le sujet un premier texte accusateur, puis une volée de lettres « pour » et « contre ». Au terme de cette cascade de courrier, il posera la question : « Peut-on comparer Kuneitra à Oradour-sur-Glane ? » L'interrogation ainsi formulée représente un des procédés maison. D'un côté, *le Monde* se réserve le recours de plaider qu'il a voulu dire que la question ne se posait pas. D'un autre côté, en posant une question qui ne se pose pas, il lui donne de la consistance, il assure la possibilité d'y répondre par l'affirmative, il avance tout simplement un pion sur le damier de la calomnie. Puis le 26-9-74, il tranche avec un article dû à un envoyé spécial : « Quand et comment la ville de Kuneitra a-t-elle été détruite ? » On y lira cette conclusion : « A la fin de 1973 les habitants n'étaient plus qu'une dizaine : *de ce point de vue au moins la comparaison avec le nazisme est irrecevable.* »

Que signifie semblable déclaration d'irrecevabilité sinon qu'à d'autres points de vue la comparaison serait peut-être acceptable ? Mais alors, lesquels ? Pourquoi rester dans le vague ?

Fort de l'assimilation qu'il a ainsi petit à petit établie entre les Israéliens (persécuteurs antisémites, oppresseurs de type nazi) et les Palestiniens (persécutés, sémites, et avides de libération), *le Monde,* quand il a besoin d'un terme générique pour désigner les diverses actions de l'OLP ou du FNLP n'a plus qu'à employer un vocable riche de résonance affective en France : la Résistance.

Il transparaît, derrière la tactique de l'information — que Guedj et Girault ne manqueraient sans doute pas de qualifier de frauduleuse — une étrange physionomie de la tartufferie du journal.

Le Monde (tout en mobilisant, on l'a vu, pour cette tâche, essentiellement des journalistes d'origine juive) s'évertue à montrer que les Israéliens bafouent le commandement d'inspiration chrétienne : « Ne fais pas à autrui ce que tu ne voudrais pas qu'on te fît à toi-même. » Il s'acharne en outre à les prendre au piège de la contradiction, à les convaincre d'avoir trahi les valeurs intellectuelles, morales et politiques avec lesquelles, depuis longtemps, ils ont conclu alliance et qu'ils étaient donc plus que quiconque tenus de respecter.

Ainsi resurgit, mise au goût du jour, l'antique notion de malédiction. Derrière la notion de malédiction se profile celle de châtiment : les Palestiniens, ce coup-ci, tiendront lieu de Romains. Il est accordé toutefois des possibilités de rédemption : la conversion (au socialisme, mais au vrai socialisme, pas celui de Golda Meir ou de Itzhak Rabin), la fusion et l'assimilation. Prodigieux mélange de passéisme et de modernisme chrétiens !

Quelquefois, les juifs subodorent confusément que l'antisionisme du *Monde* contient des relents d'antisémitisme. Mais ils ne savent pas trouver l'entrée du labyrinthe, inconscient ou conscient, où les miasmes s'élaborent.

Ils s'étonneront peut-être un peu moins désormais de voir mise en vedette une dépêche d'agence en provenance de Bethléem dans le ton de celle-ci : « Dans une grotte semblable à celle de la Nativité, une Palestinienne vit avec ses deux enfants dans le plus complet dénuement... Sur cette même colline où le Christ est né il y a à peu près deux mille ans, une Palestinienne vit aujourd'hui avec ses deux petites filles dans une grotte semblable à celle où l'enfant Jésus a vu le jour. Cette femme et ses deux enfants sont des réfugiés. On en trouve des dizaines d'autres installés sur les collines environnantes [1]. »

---

1. *Le Monde* du 26-12-1973. Elle est publiée en caractères gras et encadrée. La suite du texte admet que les 12 000 réfugiés de Bethléem et des environs ne vivent pas dans les mêmes conditions de

La dépêche explique ensuite que la femme n'a jamais voulu demander d'emploi et de logement plus décent par fierté : « *Ils ont tué mon mari* », dit-elle des Israéliens, auxquels elle reproche un tir d'artillerie dont il a été victime pendant la guerre des Six jours. Fallait-il pour rendre plus sensible un cas douloureux recourir à tant de prose saint-sulpicienne ? Et la pieuse mièvrerie du texte n'est-elle pas baroque dans un organe qui, d'autre part, à longueur de colonnes, au sein de la rubrique religieuse voisine, se moque des formes périmées du culte et de la foi, tandis qu'il prône l'iconoclasme au nom d'un retour aux sources spirituelles ?

Mais, pour *le Monde* tout est bon : les arguments, les moyens les plus contraires sont valables pourvu qu'ils soient propices à la démonstration du moment et servent à nuire à ceux auxquels le journal veut nuire.

⁂

Portugal, Cambodge, Israël : ce ne sont que trois pays, entre cent. Ce ne sont que trois exemples. Mais il serait fastidieux d'étudier le journal d'après la mappemonde, et, au reste, ces exemples suffisent à fournir une première clé pour la compréhension de sa nature.

Le fonds qu'ils ont révélé, les prises de positions qu'ils ont montrées sont relativement secondaires. Peu importe, après tout, que le journal appelle l'avènement d'un régime à dominante communiste au Portugal, approuve l'anéantissement de toute trace d'influences occidentales et de tout vestige de culture traditionnelle au Cambodge, désire la ruine d'Israël en tant qu'Etat. C'est son droit. Peu importe que pour faire droit à

---

dénuement. Mais cette concession, précisément, permet au *Monde* de sauvegarder les apparences de l'objectivité. Après avoir mis l'exceptionnel en relief, il note incidemment l'essentiel.

ce droit-là, il jette par-dessus les moulins les principes démocratiques, humanitaires et la morale politique dont il se coiffe : la liberté dans le domaine de l'esprit tolère tous les abus. Sauf un : celui de prendre des libertés avec la vérité. Or (c'est ce qui compte) les articles cités ont révélé combien le journal en prenait.

Quelle vérité ? plaideront peut-être de modernes dogmatistes du pyrrhonisme. La réponse est simple. En dépit de ses divagations selon quoi toute vérité est piégée, *le Monde* prétend la dire sans piège ; au surplus, il met mille précautions à la cacher sur ses intentions ; c'est bien qu'il reconnaît qu'elle peut exister sous quelque forme et qu'il lui accorde quelque prix — ne serait-ce que pour la redouter. Toute discussion sur une Vérité majuscule et l'impossibilité de l'atteindre est donc ici hors de propos. La vérité avec laquelle *le Monde* prend des libertés est d'ordre plus élémentaire : vérité des faits, vérité des proportions, vérité des comparaisons historiques, vérité des valeurs, vérité des jugements, vérité des raisonnements, vérité des mots... Et un bref tour du *Monde* suffit à donner un aperçu des tours du *Monde,* tours d'écriture et tours de jonglerie.

Là n'est pourtant pas encore l'essentiel. L'essentiel tient à l'attitude du journal envers la vérité dès qu'elle est gênante. Car il ne se contente pas de prendre des libertés avec elle. Il l'asservit. Il ne la cache pas, mais c'est pour mieux l'escamoter. Il l'embrasse — mais c'est pour mieux l'étouffer. Quand elle constitue un obstacle, il court au-devant, il le boit.

C'est ainsi que *le Monde* n'a garde d'approuver certaines actions des terroristes au Moyen-Orient. Il ne trouve même pas de mots assez durs pour stigmatiser le massacre des écoliers de Maalot par des Palestiniens [1] :

> « Jamais, cependant, des hommes qui se veulent des guerriers ne s'étaient délibérément atta-

1. *Le Monde* du 17-5-74 « Un cœur de Pierre ».

qués, pour en faire des otages, à un groupe d'enfants. Le kidnapping jusqu'à présent était plutôt le fait de gangsters (...). On parle ici et là de sauvagerie. C'est diffamer les sauvages. »

Mais après s'être étouffé d'indignation, il s'emploie à l'étouffer chez les lecteurs où elle aurait pu naître :

> « Que de ressentiment a dû être accumulé pour transformer en pierre le cœur de ces hommes dont beaucoup ont des enfants pour la vie desquels ils tremblent comme tous les pères ! »

Il est incohérent de dénoncer un acte comme absolument inexcusable pour s'exclamer ensuite que ses auteurs sont de bons pères de famille. Le procédé fait penser aux « effets de manche » des médiocres avocats. Mais l'absurdité, qui n'apparaît qu'à la réflexion, obéit à une logique. L'article est bâti pour donner une impression d'équilibre : réquisitoire, plaidoirie. Le réquisitoire par sa violence désamorce les sentiments du public : il les traduit, il y répond. Il désarçonne aussi les esprits critiques qui seraient prêts de se ressouvenir de la sollicitude ordinaire du journal envers le terrorisme politique. A la faveur du silence paralysant qu'il a de la sorte imposé, *le Monde* entreprend une discrète mais efficace invite à la compréhension.

Une technique analogue apparaît dans un commentaire relatif à la tuerie de Kyriath-Shmoneh :

> « La guerre faite aux femmes et aux enfants ne transforme pas en héros ceux qui y perdent courageusement leur vie. »

Ici condamnation et réhabilitation sont soudées : Pour « perdre courageusement sa vie » il faut quand même un tout petit peu être un héros... Mais, précisément, l'amalgame est encore caractéristique de la méthode : *Le Monde* commence par accaparer le monopole de la justice ; fort de ce monopole, il modifie ensuite l'arrêt à son gré.

De la même manière, *le Monde* a bien soin de ne pas cacher les réalités. Dans son numéro du 14 août 1975, l rapporte comment un travailleur portugais, qui venait de quitter la France pour rentrer dans son pays, a été tué à Fafé, dans la région de Porto « devant le siège du Parti communiste attaqué par la foule [1] ». Mais le journal a une manière bien particulière de laisser entendre qui sont les responsables de sa mort : « Il avait décidé de revenir au pays définitivement. Il y est définitivement, peut-être pour avoir trop cru ce qu'on lui avait sans doute dit, comme à tous les émigrants : que les communistes croqueraient ses économies, qu'ils le dépouilleraient du fruit de son travail », etc.

Le reste de l'article est consacré à la peinture de paysans en proie à l'hystérie anticommuniste et à la psychose de la chasse aux sorcières. Leur violence, bien qu'elle paraisse essentiellement verbale, est montrée sous un éclairage qui légitime celle du PCP : « Violence bien sûr de ce côté-là aussi. Les communistes de Fafé ont tiré le 7 août, tuant José Manuel Magalhaes, et blessant huit personnes. Ils tireraient encore s'il le fallait, à n'en pas douter. » *S'il le fallait ?* On est prié de considérer que la mort de José Manuel Magalhaes répondait à une nécessité... Tout comme le « bien sûr » y conviait déjà.

De la même manière encore, le journal prend la précaution d'étayer une cause bancale à l'aide d'une cause juste. Quand le juge d'instruction Patrice de Charette fait incarcérer spectaculairement à Béthune Jean Chapron, directeur d'une filiale des Charbonnages de France, responsable selon la loi de la mort accidentelle d'un ouvrier, *le Monde* le crédite de l'intention de souligner l'insuffisance de la répression en matière d'accident

1. *Le Monde* du 14 août 1975 « On va chasser l'homme ».

du travail et les inconvénients de l'apparition des agences d'emploi temporaire. Soit. Mais le journal fait passer à l'arrière-plan que les protestations se sont élevées, non point contre l'inculpation, mais contre l'arrestation publique et la mise en prison, au bout d'une instruction de plusieurs mois, d'un homme qui offre toutes garanties de représentation. Il fait soudain bon marché du principe, si souvent rappelé par lui, qui veut que la détention provisoire soit l'exception et non pas la règle. Il joue sur les mots pour désarmer les critiques encourues par M. de Charette. Un éditorial du 3 octobre 1975 (intitulé : « Les deux définitions de l'ordre public ») commence ainsi : « C'est peu de dire que la motivation de l'ordonnance par laquelle M. de Charette a décidé l'incarcération du directeur de la société Huiles-Goudrons-Dérivés était risquée. » Après ce préambule, le lecteur est porté à penser que la décision du juge d'instruction de Béthune était soit hasardeuse, soit courageuse. Mais l'auteur, aussitôt, met les choses au point : « La légalité, certes, n'en est pas contestable. (...) Au contraire, elle résulte logiquement de l'article 144 du code de procédure pénale aux termes duquel la détention provisoire peut être ordonnée s'il est nécessaire de « *préserver l'ordre public du trouble causé par l'infraction* ». « Risquée » voulait donc dire « courageuse. »

Il y a cependant un hic : « Mais les récents événements démontrent que les troubles à l'ordre public se sont plutôt manifestés après l'ordonnance du juge d'instruction qu'avant, comme le magistrat le sous-entendait. » Après avoir vaillamment dressé l'objection, le journal la contourne : « Encore faut-il s'entendre sur le sens qu'il faut donner à ces deux mots d'« *ordre public* ». » Il n'y a plus qu'à courir à la conclusion où il est question « du cadre plus vaste du système économique ». Car, « c'est cela aussi l'ordre public et c'est non sans raison ce qu'a voulu rappeler M. de Charette. »

Il y a mieux. Au milieu de ce brouillamini d'idées, on est avisé que le juge d'instruction « lance un avertissement que l'on peut qualifier de « *politique* ». Or, quel titre lit-on dans le numéro du lendemain samedi 4 octobre ? « Les polémiques autour de la décision de M. de Charette prennent un tour politique. » La responsabilité de la tournure politique des discussions est désormais attribuée aux « interventions » de MM. Lecanuet, ministre de la Justice, et Jean Foyer, ancien ministre de la Justice. Il faudrait savoir...

Mais il y a mieux encore. Loin de considérer qu'en donnant un « avertissement politique » le juge de Béthune a pu manquer à la sérénité, c'est à ceux qui s'inquiètent que le journal en fait l'imputation :

> « L'affolement dont paraît faire preuve l'autorité judiciaire dans l'affaire Chapron-Charette est de mauvais aloi. En soi d'abord. Car cette sérénité périodiquement présentée comme critère de bonne justice, il appartient aux dirigeants de l'institution d'en faire preuve. Tel n'est pas le cas. »

Est-ce à dire que pour autant le journal a failli à l'objectivité ? Cette fois encore, il va en sauver les apparences. Les informations, les éditoriaux s'entourent d'un cortège de points de vue, de libres opinions, de déclarations officielles reflétant d'autres appréciations. Cependant, il faut regarder ce qui a le plus d'importance dans cette longue procession. Est-ce ce qui vient en tête ou ce qui vient en queue qu'on lit d'abord et, surtout, qu'on retient ?

Dès que l'on considère l'ensemble de ses finesses, les dehors d'honnêteté du *Monde* prennent une signification nouvelle. L'accueil qu'il réserve aux objections et aux protestations des lecteurs, les palinodies et les mises au point auxquelles il consent, l'hospitalité qu'il offre à de libres opinions opposées aux siennes n'ont pas pour principal mobile la recherche de la vérité. L'intérêt porté à la vérité ne témoigne pas uniquement d'un respectueux amour intellectuel à son endroit. Il s'agit pour le journal de ne pas permettre qu'elle lui échappe — de la retenir dans ses rêts. Il la captive, il l'emprisonne. Il la maintient à sa disposition. Il l'a à l'œil. Il la garde à vue. Il la neutralise. Il en disposera ensuite à son gré. L'objection, la contradiction apportées seront dégluties, digérées, mises en bouillie au fil des jours, des semaines, des mois qui viennent. Les vérités gênantes — gênantes parce qu'elles continuent d'avoir cours peu ou prou dans le public — seront progressivement broyées, malaxées, délitées. Les opinions qui leur sont associées seront, petit à petit, habilement discréditées.

Pour employer un vocabulaire qui a cours au *Monde*, l'entreprise à laquelle il se livre est une entreprise de récupération. Il « récupère » ce qui chez ses lecteurs existe de sain, de sensible et de raisonnable. Parvenant ainsi à les posséder, dans toutes les acceptions du terme, il est ensuite en mesure de se jouer d'eux à sa convenance.

Mais, surtout, ce bref parcours des finesses rédactionnelles permet de découvrir la tromperie fondamentale du *Monde* : une tromperie sur le langage, une tromperie par le langage. Elle ne repose pas seulement sur l'emploi d'un vocabulaire ambigu et truqué, mais aussi sur une boiterie de toutes les articulations de la pensée, qu'il s'agisse de la syntaxe, des syllogismes ou des métaphores. Aimé Guedj et Jacques Girault l'ont avec justesse entrevu. Rien de plus normal : marxistes, ils ont été éduqués dans une forme de pensée qui se réclame de la rationalité. Il leur a seulement manqué d'embrasser le principe dans toute son ampleur et toutes ses conséquences.

A travers l'usage d'un langage et d'un discours logique faussés, *le Monde* s'attaque, comme le ferait un acide, aux facultés de jugement. Il les corrode, il les disloque. La corruption de l'esprit repose sur la décomposition du verbe.

A qui fera-t-on croire qu'un progrès spirituel ou matériel puisse être ainsi engendré ?

A qui fera-t-on admettre qu'une transformation de l'humanité et de la société puisse valablement s'élaborer dans de telles cornues ?

Et comment ne pas voir l'usurpation lorsque *le Monde* s'attribue la sérénité de l'arbitre et la majesté du souverain juge ?

CHAPITRE XI

LES FINS DU *MONDE*

Quelles sont les fins du *Monde ?* C'est la question qui intrigue le plus ceux que déroute, irrite ou indigne son évolution. Est-ce l'enrichissement qui a été poursuivi ? Le quotidien, à mesure qu'il cédait à l'esprit du temps ou multipliait les complaisances propres à le flatter, a gagné de plus en plus d'argent : l'explication est donc tentante.

Les responsables du journal l'ont d'ailleurs encouragée. Pour écarter les réserves émises naguère par quelques-uns de leurs collaborateurs, ils n'ont jamais manqué d'invoquer le succès : dans la montée du tirage, ils ont vu une consécration du nombre et une justification démocratique. *Vox populi vox Dei.*

A l'extérieur, la réussite matérielle leur a permis, face aux critiques, de persévérer dans l'affirmation qu'ils avaient eu raison de s'engager dans la ligne actuelle.

Rien, certes, de plus banal et de plus normal, pour une entreprise, que de rechercher la prospérité. Rue des Italiens, elle a d'ailleurs bénéficié à tous : au premier chef à ceux qui la dirigent mais aussi à l'ensemble du personnel.

A coup sûr, la situation témoigne d'une étrange transformation des mentalités au sein d'un organe qui, à l'origine, tirait orgueil de sa pauvreté. Elle comporte aussi un paradoxe puisque l'afflux de richesses a été le corollaire d'une continuelle réprobation morose du capitalisme.

Le succès a eu encore d'autres effets. Les intérêts ont servi partiellement de ciment, dans une communauté qui, ainsi qu'on l'a vu, est un tout sans être un tout. Son univers est un univers morcelé, dont les fragments tourbillonnent au gré de forces centrifuges. L'autorité au sein du quotidien est diluée. Jacques Fauvet règne sur un royaume divisé contre lui-même. Il a dû, comme ses principaux adjoints, adopter envers la majorité de la rédaction une attitude qui relève du fameux : « Je suis leur chef, il faut que je les suive. » En outre, il a à faire face aux visées de ses pairs les plus immédiats : le co-gérant, Jacques Sauvageot, n'entend pas se borner indéfiniment à des problèmes de gestion ; le rédacteur en chef, André Fontaine, s'est montré dépité d'être réduit au rang de « frère mineur » de l'Eglise progressiste et a toujours paru estimer que l'actuel directeur du *Monde* a été élevé par faveur à un rang qui n'était dû qu'à lui. Rivalités concevables : les trois hommes sont de valeur sensiblement égale.

Cependant, la cupidité ne suffit pas à rendre compte de la coloration générale offerte par le journal. Celle-ci lui a été profitable. Mais elle n'a pas, pour autant, ni été artificiellement choisie ni dictée exclusivement par des considérations commerciales. Elle exprime sa nature. Une nature complexe, puisque, encore une fois, ce tout n'est pas une unité.

A quoi tient cette nature désormais ? En grande partie, elle résulte de la confluence d'un héritage chrétien en décadence et de la contestation qui s'est fait jour depuis 1968.

Pour mieux comprendre comment le mélange a pu s'opérer, il n'est pas inutile de jeter un regard sommaire sur l'évolution des clercs et des laïcs.

Dans l'Eglise, une inquiétude — faisant écho à la déchristianisation qui dépeuplait les lieux du culte — est apparue chez les prêtres. Ceux-ci ont souffert de célébrer des rites dont le sens profond leur échappait autant qu'aux assistants. Ils ont eu scrupule à affirmer la supériorité du spirituel quand celui-ci restait aveugle ou impuissant en face des injustices et des misères les plus ordinaires. Ils ont parfois été torturés à l'idée de proclamer une foi dont ils ne trouvaient ni la signification ni le signe invincible en eux-mêmes. Ils ont voulu cesser d'être les instruments d'une institution, les porte-parole d'une langue devenue étrangère.

Parallèlement, à mesure que les sociétés libérales faisaient leurs preuves dans la réussite matérielle, une insatisfaction est née en regard des idéaux qu'elles proposaient.

Les contraintes que la civilisation mécanique apportait (en même temps que des avantages pratiques) parurent lourdes.

Une partie des hommes, surtout les plus jeunes, se sont lassés d'obéir, dans la vie sociale, à des habitudes, à des conventions, à des cérémonials dont le sens se perdait. Ils ont refusé leur adhésion à des formes où ils ne voyaient plus que formalisme. La division des tâches dans le travail, l'absence de connexion visible entre les divers rouages des institutions ont provoqué un sentiment d'absurdité. Une aspiration à plus d'harmonie, à plus d'unité s'est élevée. Des époques où les relations humaines paraissaient plus directes et plus simples ont fait rêver : les élans rousseauistes, les revendications régionalistes en portent le témoignage. Il y a même eu un renouveau d'intérêt pour le sacré. Bref, une révolte est née.

De son côté, l'Eglise fut portée à voir dans ces troubles un résultat de son effacement relatif. Elle laissa percer une nostalgie des temps très anciens où elle embrassait tout, où tout paraissait s'harmoniser en son sein ou autour d'elle, où tout pouvoir temporel dépendait de son onction suprême. Elle a eu vergogne de la fonction qui la bornait, dans les cas les plus favorables pour elle, à être une religion d'Etat plus ou moins asservie à l'Etat. Elle a aspiré à un retour aux sources, d'où dépendrait une nouvelle remise des clés.

Il était conforme à la vocation du *Monde* de rendre compte des émois et des questions qui agitaient l'époque, d'essayer d'en démêler les causes et d'en pressentir les conséquences.

Mais il eût été plus conforme à cette vocation de discerner les limites, les inconvénients, et même les tares, de ce remuement général.

Dans l'Eglise, la tentative de retour aux sources spirituelles a révélé qu'elle comportait une immense présomption : les sources sont peut-être trop hautes pour être atteintes si aisément ; la lumière initiale trop mystérieuse pour être retrouvée au prix d'une simple mise à jour... Des prêtres qui refusaient de faire figure d'ânes chargés de reliques ont jeté les reliques. Mais qu'est-il resté d'eux ? On a vu certains s'abandonner aux fantaisies les plus individuelles ou même abuser de la confiance inspirée par leur qualité sacerdotale, pour affirmer que les préceptes et les dogmes anciens n'étaient que balivernes.

L'ambition d'une autre partie du clergé de retrouver une mission déterminante dans les affaires humaines s'est réduite à faire de la politique.

Oscillant entre la désincarnation et le matérialisme dialectique, elle a mis laborieusement son grain de sel dans les questions économiques, les conflits sociaux, la lutte des classes, les débats sur le marxisme. Grain de sel singulièrement affadi...

Ailleurs, les résultats de la contestation n'ont guère été plus heureux. La répudiation des formes jugées périmées a conduit à sombrer dans l'informe. Le refus rousseauiste des contraintes, loin de libérer le bon sauvage de ses chaînes, a abouti à un déchaînement accru de sauvagerie. La révolte s'est métamorphosée en haine, du moment que, dans la mise en cause de tout, ceux qui s'y livraient négligeaient de se mettre en cause eux-mêmes. La recherche de l'absolu s'est souvent arrêtée à celle des paradis artificiels. Le désir d'embrasser les phénomènes d'un regard global n'a pas tardé non plus à révéler ce qu'il avait de démesuré. Sous prétexte de remédier à la séparation de l'ordre sensible, de l'ordre affectif et de l'ordre intellectuel, on a embrouillé les trois dans le pire dérèglement mental et verbal. Sous prétexte de pluridisciplinarité, un débordement de galimatias a aggloméré la psychanalyse et la politique, Marx et Dieu, la terreur et la générosité, le sexe et la lutte des classes, la liberté et la licence, etc.

Or *le Monde* se plut à cette confusion. Aux vraies questions, il apporta des réponses toutes faites. Ce qui procédait de la démolition matérielle, politique, sociale, psychologique, mentale fut interprété par lui comme un juste châtiment, une expiation méritée — et considéré comme un moyen de hâter l'éclosion de l'avenir. Face à la « crise de civilisation » *le Monde* prit donc le parti du docteur Tant-Pis : si la civilisation est égrotante, il serait bon de l'achever...

Dans les contradictions, *le Monde* ne verra pas un moteur de vie, mais un germe de mort — et la matière à de corrosifs sarcasmes. Il ne s'embarrassera pas, en revanche, de ses propres contradictions. Car il tirera sa cohérence d'ailleurs : dans la continuité d'une action de désintégration à ambition eschatologique.

Mais *le Monde* mènera cette action subtilement, sur le mode d'un travail de sape, selon des méthodes sournoises. Il cherchera à séduire. Par des apparences séduisantes. Par des raisonnements séduisants et faux. Séducteur, il cédera lui-même à la séduction. Le totalitarisme marxiste exercera sur lui une fascination : il offre un substitut à la totalité à laquelle il aspire.

A partir de là, millénarisme apocalyptique et millénarisme marxiste-léniniste vont s'entremêler étroitement dans ses colonnes.

La culture occidentale souffre de ne plus être une vraie culture ? Soit. *Le Monde* lui opposera la « contre-culture », le théâtre du « non-public ».

La civilisation moderne comporte une grande part de duperie et d'illusions ? Sans doute. *Le Monde* se voudra démystificateur.

Le sens de l'avoir a-t-il étouffé le sens de l'être ? *Le Monde* le dira et le répétera comme beaucoup d'autres, et en soi, l'idée n'est sans doute pas inexacte. Mais il faut voir comment le journal s'en prendra à l'avoir : il fera, à l'occasion, la part plus belle aux raisons du délinquant qu'à celles de la victime ; il suggérera que cette dernière porte une responsabilité, dans la mesure où elle adhère à un système social qui ne pouvait qu'entraîner les malheurs dont elle a eu à pâtir. Il faut voir aussi ce qu'il entendra par l'*être* : la satisfaction anarchique de tous les caprices, les explosions de la violence salvatrice auront droit à sa bienveillance.

Des conceptions pseudo-mystiques dicteront encore son attitude envers la liberté.

Pour condamner les libertés formelles du libéralisme, qui sont relatives, le journal se référera obscurément à l'étalon d'une liberté absolue, d'une libération suprême.

Le mépris du journal pour « l'ordre établi » (et l' « ordre bourgeois ») n'est pas sans nostalgie des temps anciens : « Notre civilisation ne connaît plus le droit d'asile. *Elle est,* il est vrai, *en constant recul depuis le Moyen Age* », écrivait Jacques Fauvet dans un éditorial du 6 février 1975.

La façon dont *le Monde* conçoit le rôle des institutions judiciaires est non moins significative. Il va se faire l'apôtre du syndicat de la magistrature. C'est que celui-ci, à travers ses éléments de pointe, se propose de ressusciter un type de juge capable de sonder les reins et les cœurs, affranchi de la lettre des textes pour ne plus consulter que sa conscience, dépositaire des vraies valeurs sociales et s'engageant à les faire triompher. Une conception derrière laquelle se profile la grande ombre de Saint Louis siégeant sous un chêne — mais aussi la sombre silhouette des justiciers.

« M. de Charette a perçu que l'exercice de la loi ne va pas sans référence — fût-elle implicite ou même inconsciente — à l'idéologie. La sienne est peut-être socialiste. Elle ne doit pas qu'à l'engagement politique. Elle doit aussi à la conscience. C'est tout le débat. La loi, faut-il le redire, n'est pas neutre. L'idéologie non plus, et être conservateur, c'est en avoir une, tout aussi engagée, mais qui ne dit pas son nom[1]. »

Le Monde ne s'offusquera pas que des magistrats se prévalant de *l'esprit des lois* recourent, à d'autres moments, à l'interprétation la plus étroitement littérale des textes pour détraquer le fonctionnement de la machine judiciaire.

Le Monde du 26 novembre 1975 consacre une note bibliographique émue à un ouvrage intitulé : *la Foi d'un chrétien révolutionnaire.*

On y apprend que l'auteur, Philippe Warnier, est une « victime » : car nombre de chrétiens « succombent à la tentation » de jeter l'anathème sur ceux « qui ont pris des options politiques opposées aux leurs » ; de plus, le succès du mouvement qu'il anime, Vie nou-

---

1. *Le Monde* du 4 octobre 1974 : « l'Idéologie d'un Juge ».

velle, « scandalise les catholiques qui font de l'anti-marxisme une sorte de vertu ». Mais les autres, « les chrétiens de bonne volonté », sont conviés à faire leur profit d'une œuvre qui leur permettra de comprendre « ceux qui ont fait de leur engagement révolutionnaire le "lieu central" où se déploie leur foi ». Philippe Warnier a, en effet, entre autres mérites, celui de « se refuser à une profession de foi marxiste sommaire ». Ce qui sous-entend qu'il accepte une profession de foi marxiste complexe — nullement contradictoire avec la piété. Au contraire, il est même si « imprégné de spiritualité », si « fort attaché à son Eglise », il se place si « résolument sur le terrain religieux », qu'il « réécrit le *Credo* ». *Le Monde* souscrit à mains jointes et n'émet qu'une réserve : « On le suivra peut-être moins lorsqu'il invente un Notre Père, mais après tout, pourquoi pas ? Tout chrétien n'est-il pas invité à prier à sa manière et en toute liberté » ?

Sans doute faut-il aux yeux des révérends pères Escobar, Molina, Bauny et Cie, de la rue des Italiens, n'être pas un « homme de bonne volonté » pour refuser d'accueillir avec révérence leurs calembredaines ! Il faut être aveuglé par la passion politique pour « succomber à la tentation » de trouver burlesque l'idée d'inventer un nouveau *Notre Père !* Il faut être d'une malignité diabolique pour oser faire remarquer que si le *Notre Père* est changé, on ne peut plus reprocher à personne d'être soumis et encore moins de succomber à toute tentation que ce soit ! Il faut être un bigot et envisager le marxisme sous l'angle moral le plus étriqué pour se permettre de rejeter sa doctrine ! Il faut, enfin, ne pas avoir de « propension aux nourritures spirituelles » pour ne pas partager le jugement sur *la Foi d'un chrétien révolutionnaire* tel que le formule *le Monde :* « Voici au total un livre tonique et raisonnable ».

Le même journaliste, lorsqu'il passe de la théologie

à la chinoiserie, se surpasse. Trois semaines dans l'ex-empire du Milieu le transportent au septième degré céleste :

> « Il suffit de voir la manière dont est utilisée, le long des routes, la traction humaine pour déplacer des fardeaux énormes équilibrés comme par miracle sur des charrettes à deux roues. (...) Cette sûreté dans les gestes, cette noblesse dans les attitudes ne sont pas le fruit du hasard. Il n'y a ni alcoolisme ni toxicomanie en Chine. (...) Parmi la douzaine d'usines ou de fabriques visitées, nous n'en avons vu qu'une seule où les masques semblent mélancoliques : l'atelier d'art chinois traditionnel qui œuvrait exclusivement pour l'exportation. »

On ne tarde pas à découvrir une des raisons qui conduisent *le Monde* au seuil de l'extase : il a enfin découvert un monastère à la dimension de ses rêves : « les sacrifices réclamés à la communauté ne sont plus aliénants (..) le peuple, d'esclave est devenu roi [1] ».

Mais surtout le Chinois est « chaste » ! Peu importe le prix de cette chasteté qui interdit le mariage avant vingt-sept ans, et qui condamne parfois des couples à ne se rencontrer que deux mois par an : à peine *le Monde* s'en inquiète-t-il. Il n'y a, semble-t-il, pour lui, que le résultat qui compte : « Chaste, austère, travailleur, respectueux d'autrui, le Chinois d'aujourd'hui risque de nous irriter... parce qu'il nous fait honte. » Sur quoi, le journal enchaîne : « Ne devrait-il pas au contraire nous rendre confiance dans l'homme ? Comment oublier qu'un homme sur quatre est Chinois ? » On voit mal le rapport entre le premier argument

1. *Le Monde* des 16-17 novembre 1975 : « La Chine dans un mouchoir : un peuple profondément humain ».

d'ordre qualitatif et celui d'ordre quantitatif qui suit : au nom de quelle logique les Chinois devraient-ils nous donner confiance en l'homme sous prétexte qu'il y en a un sur quatre individus à la surface de la terre ? Mais *le Monde* n'invite pas à voir, il invite à croire et la foi est un mystère, le mystère est compliqué, et rien n'est plus compliqué qu'un salmigondis — comme eût dit, à peu près, Sganarelle. Le Sganarelle mystique de la rue des Italiens, mitonnant un salmigondis, s'évertue donc à tordre la Croix et à redresser le Ying-Yang en vue d'établir une coïncidence entre Mao-Super-Star et Jésus-Grand-Timonier. Il invoque l'intercession de Karl Marx tout en déplorant (partiellement) que l'Evangile ait été évincé de l'affaire. Et cela donne l'apothéose de son reportage :

> « Notre Occident a jeté les bases bibliques de la libération de l'homme. Moyennant l'idéologie marxiste-léniniste revue et corrigée, Mao a, à sa façon, libéré son peuple socialement et politiquement. On ne peut certes que regretter que cette libération spectaculaire n'ait pas su faire sa place au levain chrétien et que les messagers de l'Evangile — même autochtones — aient été bâillonnés. Mais on ne saurait oublier ni les erreurs et les fautes des chrétiens dans les pays de mission, ni que la Chine ne fut jamais, à proprement parler, une terre religieuse. Au reste, le marxisme est en quelque sorte un surgeon de souche chrétienne. Ni en Chine ni ailleurs il ne serait équitable de déprécier ses vertus au nom de ses manques. »

Les deux dernières phrases atteignent au sommet de l'absurdité et de la *mauvaise foi.* On a dit et redit que le marxisme était une *hérésie* chrétienne — jamais qu'il était un surgeon, image dont l'introduction suggère faussement une analogie avec le « je suis le rejeton de la postérité de David », dont est glorifié le Christ.

Cette présentation quasi paradisiaque de la Chine, il est vrai, a été précédée d'un avertissement : les « impressions » livrées dans l'article ne doivent pas être tenues « pour des vérités incontestables » ni interprétées « unilatéralement ». Elles traduisent seulement une « expérience ». Ces précautions verbales visent à mettre le journal à l'abri de tous les reproches. Doivent-elles faire illusion ? N'y retrouve-t-on pas, au contraire, un procédé caractéristique du quotidien ? Et, de toute façon, quelle est leur portée ? Diminuent-elles en rien l'efficacité de la propagande contenue dans un encadré intitulé « les Abysses de Jade », le informations données du bénéfice de « l'expérience » ?

Il reste à juger de l'ampleur et du sérieux de l'expérience en question. L'auteur, dans son zèle, vante, dans un encadré intitulé « Les Abysses de Jade », le talent du Chinois « à baptiser les lieux et les sites ».

> Voici, écrit-il, quelques-unes de ses trouvailles toutes ruisselantes de poésie : "Le pont de la ceinture précieuse ", "Le jardin des nuages pourpres d'automne ", (...) "Le palais de la pureté céleste ", " Le pavillon de la joie ", (...) " La tour de l'abandon des profits " ».

Cependant, l'expérience de l'auteur aurait pu s'enrichir de celle de Jean Pasqualini. Celui-ci, dans son ouvrage *Prisonnier de Mao*[1], indique que des camps et des prisons portent les noms de « Village vertueux », « Précieux village du Nord », « L'allée de la brume sur l'herbe ». Trouvailles, elles aussi, reluisantes de poésie...

---

1. Gallimard. L'auteur, de père corse et de mère chinoise, décrit la vie qu'il a menée pendant sept ans dans les camps et les prisons de Chine Populaire.

*
**

Alors, quelles sont les fins du *Monde ?*

Il se lave à bon compte de l'accusation de crypto-communisme grâce à des différends épisodiques avec *l'Humanité* ou à sa réprobation des internements arbitraires en Union soviétique.

Cependant, dans sa critique du PCF, il entre aussi le reproche de ne pas sacrifier suffisamment à la spontanéité révolutionnaire. Des sarcasmes inspirés par l'embourgeoisement du P.C. y font suite. La querelle se ramène quelquefois à celle d'un groupe militant pour la démocratisation des tours d'esprit de l'intelligentsia et d'un parti qui représente, qu'on le veuille ou non, un cinquième du peuple français et qui n'ignore pas qu'à l'intérieur de ce cinquième-là il existe — dans la mesure même où il s'agit du peuple — des signes de santé et de vigueur, des élans de bon sens, terre à terre peut-être, mais solides et avec lesquels il faut compter.

D'autre part, si le journal condamne le stalinisme et ses séquelles, il observe une attitude respectueuse envers les positions et propositions du marxisme et du léninisme. Et une évolution sensible dans le courant de l'année 1975 a fait que la place réservée aux thèses et aux points de vue communistes a été de plus en plus large, et les commentaires de plus en plus favorables.

Et puis, à vilipender l'ordre établi, quel nouvel ordre politique favorise-t-il [1] ? A soutenir les droits des minorités (non pas à être respectées, ce qui est normal, mais à imposer leur volonté) quelle minorité soutient-il ? En dénigrant les principes des démocra-

---

1. Voir par exemple, « L'U.R.S.S. de la maturité », dans *le Monde* des 14, 15 et 16 octobre 1975. La série d'articles décrit l'ordre qui règne dans les Républiques soviétiques — à travers un tableau qui doit paraître enviable, au bout du compte, aux citoyens occidentaux qui ont à pâtir du désordre.

ties occidentales, tout en s'intronisant leur gardien jaloux, quelle autre conception de la démocratie appelle-t-il ? En considérant avec dédain les libertés formelles du libéralisme, à quelle autre notion de la liberté se réfère-t-il ? En se plaisant à accélérer les contradictions occidentales ou à s'en esbaudir plutôt qu'à aider à les résoudre, à quel ordre exempt de contradictions — et de contradicteurs — invite-t-il ? A disloquer les facultés de jugement, à quelle forme de pensée ouvre-t-il la voie ?

Et quelle justice contribue-t-il à mettre en place en se livrant à l'apologie de magistrats dont le modèle paraît, quelquefois, avoir été puisé chez Fouquier-Tinville ?

CHAPITRE XII

FALSIFICATEURS ET DIFFAMATEURS

S'il vient à admettre que *le Monde* a substitué l'objectivité d'apparence à l'objectivité d'intention qui exista au temps d'Hubert Beuve-Méry, le lecteur se pose une série de questions. Qu'est-ce qui a pu conduire une équipe rédactionnelle réputée à changer à ce point ? Est-il concevable que ce changement se produise sans que des réactions internes se manifestent, même si elles ne sont pas rendues publiques ?

Or, au cours des dernières années, quelques-uns des rédacteurs ayant fait partie de l'ancienne équipe n'ont pas manqué d'exprimer leur désapprobation en constatant qu'une transformation pernicieuse s'opérait au sein du journal. Vainement. Ils se trouvèrent isolés : leur individualisme, leur libéralisme, et par conséquent leur diversité de tempéraments, voire d'opinions, les prédisposaient peu à constituer un ensemble homogène, et encore moins un groupe de pression. En revanche, en face d'eux, se trouvaient des éléments déterminés à imposer leur idéologie et à s'organiser à cette fin. L'on vit proliférer les comités qui, sous couvert de démocratie, appellent à tout bout de champ aux plus larges débats : mais comme l'intérêt de ces réunions est souvent inversement proportionnel à leur interminable durée, elles aboutissent à décourager tous ceux qui n'ont qu'un goût modéré pour le bavardage.

Ainsi se trouvent écartées en douceur les individualités susceptibles d'opposer une digue aux flots de démagogie déversés habituellement en ces circonstances.

De plus, dotés de longue date d'une Société des rédacteurs, les vieux journalistes du *Monde* avaient, par tradition, le respect de la concertation. Ils ne virent dans l'éclosion de comités divers que l'extension d'une habitude acquise depuis des lustres. Cependant, la multiplication de groupes de pression à peine déguisés devait modifier peu à peu le climat et l'état d'esprit au sein de la Société des rédacteurs elle-même.

C'est ainsi que se développa dans l'entreprise un noyau diffus qui, bien qu'il ne constituât pas à proprement parler un parti, joua le rôle d'un catalyseur. Influençant le gros de la rédaction, il put exercer progressivement son action sans véritable contrepoids, car la nouvelle direction laissa faire.

De plus en plus souvent, l'on vit émailler les articles de descriptions et d'interprétations qui, tout en empruntant à la réalité, et même en prétendant la refléter fidèlement, aboutissaient à la déformer si insidieusement que seuls s'en apercevaient ceux qui étaient au courant des faits par d'autres sources.

La direction, même si elle s'aveuglait volontairement ou involontairement sur l'état d'esprit qui inspirait ces distorsions, ne pouvait pas les ignorer tout à fait. Il est plaisant de noter qu'elle s'en indigna ouvertement au moins en une circonstance : le jour où elle en fut la victime.

L'occasion fut fournie par un rapport interne composé à l'issue d'une réunion qui avait rassemblé la totalité de la rédaction à Royaumont en juin 1970. Le soin du compte rendu fut confié à un groupe de ces rédacteurs qui prenaient de plus en plus d'importance dans le journal. Or leur texte provoqua la diffusion par l'un des deux gérants, Jacques Fauvet, d'une lettre circulaire dans laquelle il protestait contre la défiguration tendancieuse de ses propos. Pour parer à l'inconvénient qu'il y avait à dénoncer à travers un texte quasi public la déloyauté des auteurs (des journalistes, dont on ne cessait de vanter l'honnêteté à la clientèle), J. Fauvet usait d'une étrange précaution oratoire : « Aucun de vous ne procéderait ainsi dans l'article le plus banal. » Comme si la malhonnêteté intellectuelle, stigmatisée en filigrane par J.F., ne constituait pas, chez ceux qui en sont affectés, un trait de caractère permanent, capable de se manifester aussi bien dans des articles proposés à cinq cent mille acheteurs que dans un « document » à l'usage, si l'on peut dire, intime...

Le mieux est de soumettre à l'appréciation l'essentiel de la lettre de Jacques Fauvet. Elle a le mérite d'amorcer une nomenclature des subterfuges dont use une partie des journalistes de la rédaction du *Monde*, nomenclature d'autant plus digne de foi qu'elle émane du directeur de la rédaction lui-même. Cette lettre circulaire commençait par les mots « cher ami ». Les passages les plus dignes d'attention seront en italique.

> « Vous avez reçu en même temps que moi, le compte rendu de la réunion de Royaumont des 6 et 7 juin dernier. (...) ce compte rendu n'a pas été soumis à deux des intervenants, les deux gérants, (...). Mais *chacun est libre de ses méthodes* et cette lettre n'aurait pas de raison d'être si elle n'avait pas un autre objet.
>
> « ... Le compte rendu est en effet précédé

d'un préambule qui m'a surpris ainsi que Jacques Sauvageot. *Des déclarations y sont reproduites entre guillemets sans que l'on précise ni l'auteur, ni la date, ni le contexte. On devine parfois de qui il peut s'agir mais sans certitude.*

« *Aucun de vous ne procéderait ainsi dans l'article le plus banal* et c'est pourtant ce qui est fait dans un document qui se veut important. Cela me paraît constituer plus qu'une *mauvaise méthode.*

« *J'ai cru me reconnaître personnellement* dans les mots cités au troisième paragraphe « à l'abandon ou au conflit ». *Mais il aurait fallu le préciser et éclairer la signification du texte.* (...)

« Mon nom est en revanche cité à la page 2 où il est dit que Jacques Fauvet préfère entendre appeler « la haute hiérarchie du journal » : « l'encadrement ». Je n'ai jamais entendu parler de « haute » hiérarchie, *l'adjectif tendant sans doute* à opposer davantage encore la direction du journal ou celle des services aux membres de la rédaction du journal. (...)

« A la page 3, *il n'est pas précisé qui a pu déclarer :* « plutôt que de vous préoccuper de ces problèmes encore vagues, vous feriez mieux de veiller à ce que les jeunes contrôlent leurs informations, vérifient l'orthographe du nom des communes ou des personnalités citées ». Bien souvent j'ai donné en effet ce conseil mais il s'adressait autant aux anciens, ou même aux très anciens, qu'aux plus jeunes[1]. J'ai dit, il est vrai, que les nouveaux rédacteurs ne pouvaient être faits juges du développement du

1. Le passage indique quelle dégradation de la qualité du journal s'était déjà manifestée.

journal avant de bien le connaître. Cela me paraît une évidence.

« *D'autre part, je comprends mal, ou trop bien, le sens de l'incidente :* (...) *L'opposer aux mots « problèmes encore vagues » n'a aucun sens ou veut laisser entendre que l'auteur du propos se contredit, ou encore n'est pas de bonne foi puisqu'il parle de problèmes « vagues » alors qu'il s'agit d'études « précises »*. Qu'il s'agisse du directeur du journal ou de quiconque, *il n'est pas convenable de reproduire partiellement des propos entre guillemets sans en indiquer la source et l'auteur et d'y intercaler en style indirect une phrase qui en fausse ou en force le sens.*

« Ma critique de texte s'achèvera par le dernier paragraphe. Le préambule est daté du 2 novembre et l'on y lit que « la direction et la rédaction en chef s'attachent actuellement à donner une solution réaliste » au problème des suppléments. *Cette phrase est doublement inexacte.* Ce n'est pas la direction et la rédaction en chef, une nouvelle fois opposées aux autres rédacteurs, qui se sont préoccupées des suppléments ; ce sont tous ceux qui en ont eu l'idée et ont eu à charge et à cœur de la réaliser *Laisser entendre* qu'ils se sont attachés à donner une solution réaliste au début du mois de novembre c'est laisser croire que, jusque-là, ils n'y avaient pas songé ou avaient adopté une solution que l'on peut imaginer irréaliste. *Cela est évidemment faux* », etc.

Le lecteur insatisfait du *Monde* jurerait-il qu'il n'a jamais retrouvé dans des articles « les plus banals » du journal l'attirail d'artifices décrit par son directeur ? Jurerait-il qu'il n'y a jamais rencontré de trame tissée à partir d'éléments vrais et indiscutables, mais amputés, truqués, ou tronqués dans leur présentation ? Jurerait-il qu'il n'a jamais été troublé par ces sous-entendus qui assurent à la calomnie le bénéfice de l'impunité, par ces qualificatifs et ces imprécisions qui font planer le doute et jettent la suspicion ? Jurerait-il enfin qu'il n'a jamais rencontré de ces articles qui s'abstiennent « d'éclairer la signification », de « fausser » ou de « forcer » le sens ?

Dans le touchant désarroi manifesté par le Jacques Fauvet de 1970, ne retrouve-t-il pas l'expression de son propre malaise ? La victime, sur la défensive, a l'air de couper les cheveux en quatre : pour qui ne connait pas les faits, l'exposé paraît filandreux.

En novembre 1970, il semblait évidemment impensable que le directeur du *Monde* pût protester contre des procédés qui constituaient « plus qu'une mauvaise méthode » quand il en faisait les frais et les approuver quand ils s'exerçaient aux dépens d'autrui. Ne disait-il pas, d'ailleurs : « Qu'il s'agisse du directeur du journal ou de quiconque, il n'est pas convenable », etc. Aussi sa lettre pouvait-elle être interprétée comme un appel au redressement par ceux qui, à l'intérieur de la rédaction, essayaient de lutter contre l'état d'esprit ambiant et contre la vision insidieusement déformante qu'il imposait. L'attachement au journal était, pour certains d'entre eux, sincère, et même quasi viscéral. Ils souffraient de voir risquer le capital de crédibilité accumulé au cours d'années difficiles et, en tout cas, à coups d'efforts scrupuleux pour vérifier et recouper les informations. Ils se trouvaient en porte à faux dans un journal dont ils voyaient, non sans inquiétude, s'effilocher les anciennes valeurs. On ne tenait guère compte des remarques orales qu'ils émettaient sans doute trop timidement, car ils avaient souci d'observer une attitude confraternelle vis-à-vis de leurs collègues, même s'ils ne partageaient pas leurs conceptions et du journalisme et du journal. Leur gêne s'accroissait du fait qu'à l'extérieur un petit nombre de gens — ils ne deviendraient plus nombreux que par la suite — s'avisaient du changement progressif du caractère du *Monde* et leur en faisaient le reproche, comme si la faute leur en incombait personnellement. Ils déploraient parfois que la loi n'ait pas prévu avec plus de précision l'application de la clause de conscience : le nombre restreint des esprits qui percevaient le changement du *Monde* leur confirmait que ce changement n'avait pas encore revêtu le caractère « notable » qu'exigent les textes légaux pour que la clause de conscience puisse jouer.

Leurs délibérations, il est vrai, ne duraient guère : Il leur importait davantage de voir rétablir la conscience au sein du journal que de l'invoquer contre lui [1].

---

1. Je résolus de répondre à M. Fauvet et m'adressai au directeur du *Monde* en ces termes le 30 novembre 1970 :

« Le ton de votre lettre du 25 novembre 1970 évoque trop celui de certains lecteurs du *Monde* dans leur correspondance pour laisser insensible. Les doléances qu'elle contient présentent aussi une analogie avec celles qu'une partie de vos collaborateurs, dans le cercle de leurs fréquentations extérieures et dans le feu des conversations, doivent quelquefois subir — avec résignation : puisque leur loyauté envers leurs employeurs leur interdit d'y souscrire et que leur honnêteté les paralyse dès qu'ils voudraient entreprendre une réfutation.

Par bonheur pour eux, les lecteurs ne formulent pas et ne savent le plus souvent pas exprimer ces reproches avec la même vigueur dans l'analyse que celle dont vous faites preuve à propos du préambule précédant le procès-verbal de la journée de Royaumont. La dimension de votre lettre montre d'ailleurs combien semblable critique de texte exige du temps, de l'attention et de l'esprit de finesse. Et la clarté de votre exposé invite chacun à découvrir — ou à se rappeler — combien la méthode est bonne.

Ainsi est-on conduit à souhaiter qu'elle soit appliquée à l'ensemble des colonnes du journal.

J'y verrais deux avantages.

Vous savez en effet sans doute que quelques-uns de vos collaborateurs, comme moi ou avec moi, émettent (intra-muros...) des réserves sur l'évolution de la conception du *Monde*. Ils se sont toujours vu opposer des arguments inspirés par des considérations quantitatives — le tirage augmente, le manque de temps ! — par l'esprit de géométrie — l'organisation nécessitée par l'entrée du journal dans l'ère industrielle — ou par la satisfaction — nous sommes le meilleur organe de presse de l'Univers !

S'ils se trompent, ils seraient mieux convaincus de leur erreur,

Mais les mises en garde demeuraient sans écho. Elles étaient le plus souvent accueillies avec un scepticisme dédaigneux, enrobé de propos lénifiants. Les responsables qui cherchaient ainsi à rassurer (et à se rassurer) étaient-ils aveugles ou complices ? Une chose est certaine : on assistait chez eux à une progressive démission de l'esprit. Leurs œillères les empêchaient de voir qu'une lassitude commençait parfois à s'emparer des journalistes qui souhaitaient demeurer fidèles à la vocation initiale du journal. Tel se retirait sur l'Aventin d'une rubrique anodine ; tel autre choisissait l'exil d'une correspondance en attendant des jours meilleurs.

Dix-huit mois plus tard, ils verraient combien leur attente était vaine. De concessions en reculs, la dégradation se poursuivit. Un événement vint alors illustrer l'altération intellectuelle et morale du *Monde*.

---

une fois qu'elle leur aurait été démontrée après des investigations et des examens relevant davantage de l'ordre qualitatif. Il conviendrait bien entendu que soit exclue toute démagogie d'une étude commune de cette sorte. Les nuances, les subtilités dans lesquelles nous serions conviés à entrer ne sont pas compatibles avec l'intention d'avoir raison sur l'autre et encore moins d'avoir raison de lui — comme cela paraît devoir à peu près inévitablement se produire dans les assemblées ou les comités excessivement élargis. Il ne s'agirait que d'une recherche de ce qui est raisonnable.

L'autre avantage consisterait à voir trancher un doute que votre lettre ne peut manquer d'introduire, le texte incriminé ayant été conçu et écrit par des rédacteurs du journal dont j'ignore, je le précise, les noms. L'identité des auteurs importe du reste fort peu. Ce qui ne saurait être nié, c'est que le préambule que vous stigmatisez reflète un état d'esprit qui ne saurait être celui d'un seul : il n'aurait pas été produit s'il avait dû ne pas rencontrer des échos...

Or, vous mettez gravement en cause les procédés et la démarche intellectuelle qui ont présidé à son élaboration — vos reproches ne portant pas seulement, si l'on vous suit bien, sur un usage de guillemets qui serait abusif, mais aussi sur la relation des faits, les jugements et les commentaires. Il importerait grandement à la réputation de la rédaction qu'il soit vérifié si les mêmes méthodes, que vous dénoncez lorsqu'elles vous sont appliquées ne se retrouvent jamais dans les colonnes du journal à propos d'autres personnes, d'autres faits, d'autres jugements et d'autres commentaires.

Pour le comprendre, il faut savoir que, depuis plusieurs années déjà, le journal était en proie à une frénésie de réorganisation, à une fringale d'organigrammes. Derrière le prétexte invoqué — un meilleur fonctionnement — se dissimulaient bien souvent des intrigues, des ambitions, de sourdes luttes d'influence. Certes, elles sont le lot commun de beaucoup d'entreprises : elles révélaient que *le Monde*, sur ce plan-là déjà, était descendu au niveau le plus ordinaire. Mais au printemps de 1972, un incident prouva que l'esprit de clan conduisait peu à peu au terrorisme intellectuel. Il montra que des jugements aussi sommaires que des exécutions pouvaient frapper quiconque ne se pliait pas ou ne paraissait pas susceptible de se plier à la nouvelle conception de l'information qui était en train de se répandre.

Un journaliste des « informations générales » présent depuis douze ans au journal allait être muté

Même si cela devait apparaître, je ne pense cependant pas qu'on pourrait, comme vous paraissez prêt à le faire, mettre en doute la bonne foi de ceux contre qui vous vous dressez dans votre lettre. Il s'agit peut-être seulement d'une autre foi. Evidemment très différente de celle qui régnait dans cette maison quand j'y suis entré voici quatorze ans, en ces temps où il n'y était admis qu'une seule tendance : la tendance à l'objectivité.

Il va sans dire que, si vous n'aviez pas invité indirectement à une réponse en recourant à une lettre pour vous adresser à chaque membre de la rédaction, j'aurais continué de me cantonner dans mon rôle d'exécutant — que j'accepterai aussi longtemps que me sera accordée la possibilité de ne rien écrire contre mes convictions et contre ma conscience. Je veux préciser que la notion d'exécutant, en ce qui concerne notre métier, n'a, dans mon esprit, aucun caractère péjoratif. Elle n'exclut ni la liberté de jugement ni la responsabilité personnelle et n'implique nullement la passivité de l'intelligence et la soumission du caractère — au contraire : et je pense que le travail que je fournis vous l'aura prouvé.

Elle a cependant un caractère restrictif. Elle indique les limites de la « participation » à la vie générale du journal imposées à ceux qui, isolés ici ou là, en constituent la minorité silencieuse — réduite au silence par le fait seul de savoir qu'elle ne pourrait se manifester efficacement.

Elle ne désespère cependant pas de l'avenir, etc.

Michel Legris.

au service étranger, comme il le souhaitait. Mais ce professionnel, d'une solide culture, d'un grand sérieux, d'une grande rigueur dans l'analyse et, du reste, fort estimé, avait des qualités qui, faut-il penser, pouvaient porter ombrage à certains des membres dudit service qui ne les possédaient pas. Ses reportages, ses comptes rendus d'audience, où la scrupuleuse description des faits s'alliait avec la nuance, avaient chiffonné quelques théoriciens, aussi scolaires qu'abstraits, et dont toute la pensée, lorsqu'ils n'en dissimulaient pas le fond, consistait en un manichéisme aussi niais que tortueux.

Une poignée de ces journalistes-là, au sein du service étranger, décida en conséquence qu'il ne saurait être question d'admettre leur confrère parmi eux. Et, à la mi-juin 1972, dix jours avant de prendre ses nouvelles fonctions, celui-ci apprit avec ahurissement qu'il lui fallait y renoncer. Les chefs de service, passablement confus, lui expliquèrent comment certains éléments de la « base » leur avaient fait reproche de ne pas les avoir consultés sur sa nomination, à laquelle ils s'opposaient. Au préalable, ils s'étaient réunis et avaient décidé que l'impétrant était un « réactionnaire », « un fasciste », et même, un « agent de la police ! » Rien de moins. Devant ces propos scandaleux, les chefs du service et la direction ne manquèrent pas de se montrer outrés. En foi de quoi la victime attendit une réparation et des excuses.

Que s'ensuivit-il ? Rien. Le directeur du *Monde* donna une semonce aux « diffamateurs », puis il s'empressa de capituler devant eux en renonçant à la nomination prévue. On tergiversa à n'en plus finir sur les termes des excuses qu'il convenait de lui fournir. On eût dit que l'important était que cette affaire ne laissât pas de trace publique. L'embarras était d'autant plus grand que le comité au cours duquel s'étaient déversées les calomnies s'était tenu en présence du président de la Société des rédacteurs de l'époque. Qu'il n'eût pas élevé de protestation solennelle en face de semblables agissements, comme s'il en était venu à les trouver tout naturels, donnait la mesure de la dégradation invisible de l'âme de la rédaction.

Quant au journaliste indignement sali, lorsque au bout de quelques mois, il obtint les excuses qu'il était légitimement en droit d'attendre, en raison de la gravité des accusations portées contre lui, il décida, écœuré, de quitter *le Monde*[1].

Au sein de l'équipe, il y eut bien de-ci de-là quelques signes d'embarras. Plus rares furent les signes de remords. Et plus rares encore furent ceux qui perçurent la portée, à terme, de l'incident. Il était confirmé que des diffamateurs, non seulement pouvaient se manifester impunément, mais encore imposer leur autorité au sein de la rédaction du *Monde* et faire reculer son directeur. Celui-ci a-t-il jamais mesuré les conséquences de son attitude ? S'est-il soucié, au cours des années qui ont suivi, de se demander, si les diffamateurs n'étaient pas également capables de répandre la calomnie et le mensonge dans leurs articles ? Et, du moment qu'ils appartenaient au service étranger, des pays, des Etats, des partis, des hommes que l'éloignement ou l'ignorance du français empêchaient le plus souvent de répondre et de se défendre, ne risquaient-ils pas d'être exposés à ce genre de procédés ?

Mais *le Monde* refusa de voir que l'affaire dont avait été victime un de ses collaborateurs pouvait avoir un lien avec son évolution générale. Et, même, qu'elle en marquait la consécration.

---

1. Mon départ du *Monde* fut étroitement associé au sien.

CHAPITRE XIII

MAI 1968 ET LA SUCCESSION

La métamorphose du *Monde* ne saurait être datée avec précision.

Pour deux raisons. Le changement s'est produit de façon subtilement insidieuse. Il s'est amorcé avant la passation d'une direction à l'autre, qui eut lieu à la fin de l'année 1969.

C'est sans doute à l'occasion des événements de mai 1968 que les premiers signes extérieurs s'en sont manifestés. En ce temps là, Hubert Beuve-Méry se trouvait à Madagascar où il fut retenu longuement par la grève des transports aériens. Mais déjà les hommes qui assureraient la succession avaient commencé de se mettre sur les rangs : ils allaient, en son absence, donner la pleine mesure de leur lucidité, de leur perspicacité et de leur courage moral. Ce fut un Beuve-Méry passablement mécontent du contenu de son journal qui revint de Tananarive. « Les gamins ne vont quand même pas faire la loi ! » Ce propos qu'on rapporte de lui à son retour [1] — et par lequel il traduisait son appréciation

1. Il visait les émeutiers.

des événements de la rue — explique en partie le revirement *in extremis* du journal, lorsqu'un article dénonça dans la Sorbonne un « Bateau ivre ».

Les événements de mai 1968 devaient valoir à Hubert Beuve-Méry d'autres déconvenues. La grève des P. et T. fit que beaucoup de vieux et fidèles abonnés de province reçurent le journal avec quelques semaines de retard. L'impression d'ensemble qu'ils en retirèrent leur inspira souvent des lettres indignées ou stupéfaites. Ils avaient été éberlués par le ton délirant de certains articles.

Le tout, à la fin, fut mis sur le compte d'un climat général, d'un ébranlement des esprits auquel personne dans le pays n'avait tout à fait échappé. La crise dont la rédaction du *Monde* avait offert les symptômes était interprétée comme un accès passager de dérèglement mental, ne devant point laisser de trace. Certes, il était surprenant que le mal ait pu frapper une publication qui se faisait gloire de sa sérénité. Il était étrange qu'un organe de presse qui se flattait de donner à tous les autres un exemple de droiture, d'honnêteté intellectuelle, de prudence dans l'information pût tomber dans les aberrations qu'il ne manquait jamais une occasion de stigmatiser chez ses confrères. Il devenait comiquement prétentieux de distribuer encore avec superbe à l'univers entier (syndicalistes ou hommes politiques, magistrats, fonctionnaires ou hommes de parti, Etats puissants ou simples citoyens) les admonestations sentencieuses du *Monde*. Le comportement du journal en mai 1968 appelait une interrogation et, pour reprendre une expression qu'il affectionnait, une remise en question. Mais, précisément, la question ne sera pas posée...

Si elle l'avait été, qu'eût-elle révélé ? Sans doute eût-elle d'abord permis de constater une évolution de l'équipe rédactionnelle et de découvrir que celle-ci était dépendante de deux facteurs : le recrutement et la perspective de la succession d'Hubert Beuve-Méry.

Le recrutement de nouveaux membres avait depuis quelques années été opéré de façon sans doute non systématique, mais fort courante, en fonction de critères politiques précis. Ces derniers, toutefois prêtaient à malentendu. La réprobation du racisme, de toute autorité strictement et aveuglément dictatoriale, de toute forme d'oppression, le désir de montrer les défauts d'une société boiteuse et insatisfaisante, l'aspiration de contribuer à la réformer et à la rééquilibrer, la volonté de ne rien ménager ni personne, dans la mise en lumière des faits, des événements, des idées, constituent, en eux-mêmes, des attitudes et des aspirations légitimes chez tout journaliste. A condition toutefois qu'elles s'accompagnent d'une volonté d'approfondissement des faits, d'une interrogation sur la raison d'être des choses, d'une recherche de la perspective — au double sens du mot, la juste proportion et la finalité. Or, cette condition-là venait quelquefois à manquer chez les nouveaux venus. Le désir d'exercer une action l'emportait sur le désir de connaître. Les réponses *a priori* éclipsaient les questions préalables.

Les opinions politiques de quelques chefs de service les rendaient victimes, lorsqu'ils engageaient de nouveaux éléments, d'une redoutable illusion d'optique. Ils pensaient que ceux qui épousaient leurs idées partageaient du même coup l'ancienne éthique de la rédaction. Il est vrai que cette éthique commençait à ne plus tenir que la seconde place dans leur échelle de valeurs. Car les préoccupations associées à l'éventualité du départ d'Hubert Beuve-Méry contribuaient à reléguer à l'arrière-plan les critères strictement professionnels. Déjà, il était acquis que Jacques Fauvet serait le successeur. Mais il restait à régler le sort de ceux qui accompagnaient cette ascension. Certains se livraient à de sourdes luttes. Pour en dissimuler le sordide, ils se comparaient, *mezzo voce*, aux généraux d'Alexandre.

Soucieux d'aborder la succession en position de force, chacun s'efforça de recruter les troupes les plus nombreuses. Ce fut alors un permanent assaut de démagogie pour la conquête sinon d'une armée, du moins d'une clientèle.

Mai 68 fournit les mots dont ils avaient besoin pour justifier leur comportement. Des manœuvres de couloir se développèrent sous le noble nom de « concertation » et les appétits se réveillèrent au nom de « participation ».

Mais la fièvre de mai 1968 n'explique pas tout. Elle ne se serait pas emparée si rapidement *du Monde* si elle n'y avait rencontré un terrain prédisposé.

L'affaiblissement de la vision, la décalcification de l'ossature, l'engourdissement de la sensibilité et de la volonté ne peuvent s'expliquer par le seul effet de la sénescence d'un journal qui n'avait pas vingt-cinq ans d'âge.

Après de longues années d'effort et de pénurie, la rue des Italiens avait commencé à connaître une amorce d'opulence. Hubert Beuve-Méry ne l'accueillit pas sans crainte, car il s'était toujours méfié de l'argent et de son pouvoir corrupteur.

La suite montra qu'il avait raison. L'austérité avait conduit pendant longtemps à considérer que l'œuvre commune était le bien de tous, qu'il fallait entretenir et préserver. L'existence d'un patrimoine moral partagé était d'une certaine manière le meilleur stimulant de la vertu d'objectivité dont le titre était fier. Avec l'arrivée de l'argent, chacun considéra le capital de prestige comme son bien propre, dont il pouvait disposer à sa guise. La conséquence se fit sentir peu à peu à l'intérieur des articles : la subjectivité s'y substitua à l'objectivité. L'idée fut d'ailleurs proclamée, et avec succès, que l'objectivité n'existait pas et qu'il n'y avait que de la prétention à penser l'atteindre. Cette doctrine offrait une façade d'humilité : l'objectivité absolue est aussi inaccessible que la perfection. Mais ce n'était qu'une façade. Elle revenait à nier la valeur des efforts et des tentatives du journaliste pour tendre vers la plus grande exactitude possible (au prix d'une lutte contre la résistance des faits, qui ne se livrent pas aisément, des hommes qui ne les livrent guère plus aisément, et d'un combat contre soi-même, ses propres préjugés, ses propres limites) — autrement dit, à nier ce qui fait la raison d'être du journalisme bien entendu et à renier les principes qui avaient justifié la fondation du *Monde*. Encourager ainsi la paresse d'esprit et la facilité, c'était faire le lit de ces infirmes de l'intelligence à qui les slogans servent tantôt de béquilles, tantôt de gourdins.

La seconde cause du rétrécissement d'âme de plusieurs responsables de l'équipe tient à la fois de la psychologie et de la politique. Hubert Beuve-Méry marqua à diverses reprises sa réserve, sinon son hostilité pour Charles de Gaulle et certains aspects de sa politique. Il s'exprima toujours avec mesure et en cherchant à s'élever au niveau du personnage historique qu'il lui arrivait de combattre. Mais ceux qui ne pouvaient embrasser ni les principes ni les dimensions de la querelle se contentèrent de concentrer leurs attaques sur les petitesses, davantage à leur portée, des gaullistes. Le pli contracté à cet exercice quotidien n'eut pas seulement l'effet mineur d'accroître leur réprobation morose de la Vᵉ République : il les figea dans une espèce de ressentiment envers tout ce qui risquait de ressembler à de la grandeur. Ce n'était pas seulement une « certaine idée de la France » qui provoquait un haussement de leurs épaules délestées de responsabilités. Le peuple lui aussi s'exposait à leur mépris dès qu'il émettait un vote contraire à leurs vœux. Et dans l'animadversion témoignée souvent au P.C.F. il n'entrait pas que l'amour du libéralisme. La taille imposante du parti, l'ampleur de son organisation, la longue portée de ses buts, et jusqu'à son monolithisme semblaient faire injure à leur goût du nanisme. La Chine, en revanche, trouvait aisément grâce à leurs yeux : planète distante, elle les fascinait par son éclat sans les incommoder par son volume. Ils l'admiraient à bon compte, d'un point de vue de Sirius — le point de vue de Sirius des myopes.

La grandeur, au demeurant, n'avait pas besoin pour leur porter ombrage, de se manifester par l'espace et par le nombre. La malveillance systématique que *le Monde* se mit à prodiguer à l'Etat d'Israël révélait — au-delà de toutes les analyses sur le Moyen-Orient — une incapacité à saisir et à respecter l'essence d'une nation qui, à la fois gorgée de contradictions et imbibée d'unité, pose à l'humanité les plus vivifiantes questions en récusant, par son existence même, l'esprit de géométrie et les réponses fabriquées. La sympathie, plus ou moins affichée, pour la cause arabe n'allait pas, en revanche, sans équivoque. Elle allait même bientôt se diriger presque exclusivement vers les éléments de désordre ou de terreur, susceptibles, sous couleur de ferveur nationale ou religieuse, d'anéantir peu à peu l'essentiel de la civilisation et de la foi musulmane.

La complaisance des principaux dirigeants du *Monde* à l'égard de « *mai* 68 » fut également une affaire de tempérament. Moralisateurs impénitents, nourrissant leur suffisance de mauvaise conscience, ils étaient toutefois soumis à rude épreuve par la jeunesse : non seulement les nouveaux venus au journal mais leurs propres enfants — situation banale... — étaient loin de leur accorder le respect auquel ils croyaient avoir droit. Mai 1968 vint à point nommé leur apporter un rassurant réconfort : la responsabilité de cet état de fait incombait à la civilisation — et la preuve de sa faute était qu'elle se trouvait en crise. Dès lors, ça n'était pas, ça n'avait jamais été leur personne que la contestation ou les sarcasmes des adolescents visaient même quand ils en étaient la cible. Ni leur comportement ni leur manière d'être n'étaient en cause, mais seulement la société. Se punissant de n'avoir pas décelé plus tôt leur innocence, ils battirent leur coulpe en frappant à poings redoublés sur la poitrine haletante de la galeuse, de la pelée, de la tondue, d'où venait tout le mal.

On lui demanda justice des flots de vinaigre et de fiel ingurgités au cours de quelque calvaire personnel ou professionnel et distillés au compte-gouttes dans la prose quotidienne. Mais le résultat fut que géniteurs et progéniture, faisant front contre un ennemi commun, se réconcilièrent. La progéniture, plus rouée ou plus sincèrement convaincue, sut mettre à profit le zèle de ses aînés : elle les influença.

Cela se traduisit, lorsqu'il fallut rendre compte des événements, par d'abondantes recommandations : « Mon fils m'a dit que... », « ma fille pense que... ». La presse qui a si souvent pâti du règne des fils-à-papa, allait, en mai 1968, au *Monde,* donner lieu à l'avènement des « papas-à-fils ».

Ainsi, les motivations du *Monde,* lorsque, en mai 1968, il épousa si largement la cause de la jeunesse émeutée ne doivent pas prêter à confusion. Elles tenaient sans doute en partie à la joie fébrile d'assister à l'explosion qui — divine surprise — promettait d'emporter un régime que le journal n'aimait pas. Mais en tout cas, elles n'avaient rien à voir avec ce « soulèvement de la vie » qu'a chanté par la suite Maurice Clavel.

Comme toutes les collectivités, la rédaction du *Monde* était essentiellement composée de ces « assis » dont parle Rimbaud et dont l'ambition n'est assurément pas de « changer la vie ». Certes ils n'ignoraient ni l'insatisfaction, ni les indignations, ni les révoltes. Mais leur insatisfaction venait de l'inassouvissement d'appétits ordinaires, elle ne témoignait guère de la présence en eux d'une faim supérieure. Leurs indignations étaient encore des indignations d'assis et, comme il convient à des assis, il s'y mêlait des aigreurs de chaisière. Pour le reste, elles contribuaient à leur confort : elles étaient bonnes à les persuader qu'ils étaient des justes et leur épargnait l'audacieuse quête de valeurs nouvelles. Quant à leurs révoltes, elles étaient essentiellement le résultat de vexations devant les démentis que les faits apportaient à leur prédictions, ou des déceptions que les événements donnaient à leurs attentes. Elles ne débouchaient au demeurant ni sur une action ni sur une réflexion fondamentale. Elles n'ébranlaient rien — et surtout pas eux-mêmes.

Les dispositions qui avaient empêché *le Monde* de pressentir la secousse de mai 1968 allaient encore le priver de comprendre ce que le mouvement avait de réellement profond et ce qu'il avait d'inévitablement éphémère, ce qu'il comportait de légitime et ce qu'il mettait au jour de sordide... Faute d'un regard capable de discerner la lumière luisant dans les ténèbres, le journal ne tint pas son rôle — du moins le rôle qu'il avait toujours prétendu tenir. Il s'aveugla même au point de confondre les ténèbres avec la lumière, les scories avec le feu, le bavardage avec la parole, l'ignorance avec l'innocence, l'irresponsabilité avec la spontanéité, le néant avec la pureté et peut-être même tout simplement la queue du Diable avec la barbe du Bon Dieu.

En dépit de la canalisation due à des organisations

politiques, des oripeaux de slogans et de la boue que son fleuve charriait avec les pépites, la jeunesse de mai 1968 aurait pourtant mérité une meilleure attention de la part du *Monde* qui ne lui prodigua que des attentions, autrement dit, des flatteries propres à gagner sa clientèle. Si le journal avait eu un plus grand souci de la réputation intellectuelle acquise dans le passé, il se fût efforcé d'opérer le classement nécessaire, pour séparer non point le bon grain de l'ivraie, ce qui est œuvre de justicier, mais le subtil de l'épais. De ce patient travail d'alchimiste, *le Monde* ne fit rien, sinon qu'il se livra à des jeux d'alambic et au rabâchage de formules magiques.

Avec un peu de discernement — et un peu moins de démagogie — il aurait pu montrer ce que mai 1968 avait et de banal et d'original. De banal, puisque c'est le propre de toute génération de se soulever contre celle qui la précède, de tout fils de se rebeller contre le père : la sève montante fait craquer les fibres du vieux bois. D'original, puisqu'un concept nouveau contribuait à catalyser les énergies : la « révolution culturelle ». Le succès de l'expression était, à coup sûr, dû en partie à son exotisme géographique et politique. Mais celui-ci n'expliquait pas tout : que se cachait-il donc derrière ce paravent chinois ?

En s'affranchissant du fétichisme des idéologies (ou des idéogrammes), on eût peut-être découvert que la révolte contre les enseignants et l'enseignement ne se limitait pas à traduire une inquiétude devant la minceur des débouchés professionnels, un agacement en face des cours magistraux, une indignation envers le « mandarinat », une sensation d'étouffement au milieu d'Universités surpeuplées. Elle laissait entrevoir aussi une insatisfaction devant une conception de l'éducation ne se souciant que de la transmission du savoir et non de la formation globale des êtres. Du même coup, elle signifiait l'échec partiel de la laïcité, dont l'ambition avait été précisément de transmettre de la façon la plus neutre possible le savoir en laissant le soin aux familles, aux Eglises, aux disciplines diverses, de se charger du reste — tâches que ces dernières avaient peu à peu cessé d'assumer aussi solidement que par le passé.

Mais alors que la jeunesse laissait percer obscurément la demande d'avoir de vrais maîtres, fallait-il que *le Monde* lui permît de s'égarer à la suite de leaders de fortune ? Fallait-il que le journal ne manifestât que du mépris ou de l'ironie à l'adresse des professeurs qui refusaient de se déjuger ou de hurler avec les loups ? Fallait-il les considérer comme des retardataires figés dans la vanité de leurs privilèges ? Fallait-il oublier que dans leur opposition aux débordements et à la démagogie, il y avait aussi le désir légitime de faire reconnaître les droits de la connaissance face à l'ignorance prétentieuse et bavarde ? Fallait-il, en même temps qu'on jetait le discrédit sur eux, encourager la démission des adultes ? Fallait-il accorder sans discussion droit de cité à l'idée selon laquelle l'épanouissement de l'individu est uniquement déterminé par les conditions politiques et sociales ? Fallait-il, surtout, feindre de croire qu'un changement de l'ordre politique suffirait à assurer la transformation des êtres, à leur permettre de dépasser les « libertés formelles », à leur donner accès à une pensée libérée — et à satisfaire toutes leurs aspirations ? Fallait-il enfin, décrier le principe de neutralité — et donc de laïcité — de l'enseignement au profit d'une religiosité révolutionnaire ?

De même, si le refus de la société de consommation, exprimé en mai 1968, traduisait une répulsion compréhensible envers la civilisation industrielle et mécanique et envers ses appétits, fallait-il pour autant considérer avec une moue hautaine les producteurs voués au « métro-boulot-dodo ? » Fallait-il ne leur consentir de la sympathie qu'au titre de victimes ignorantes de leur aliénation ? Fallait-il souscrire à une vision aussi sommaire du peuple ? Fallait-il ne pas relever les contradictions des dénonciateurs de la société de consommation lorsqu'ils se comportaient en gens qui voulaient bien profiter de ses commodités sans avoir à en payer le prix ?

***

Le besoin montré par la jeunesse de 1968 de se dégager des préjugés, de sortir des canaux et des ornières, avait assurément un caractère émouvant. Elle laissait, au travers du tumulte et des cris, par-delà les barricades qu'elle dressait après avoir cru abattre les anciennes barrières, deviner quelquefois un désarroi, un désir de libérer en soi « les rivières emprisonnées qui ont mal ». Mais fallait-il, comme parut le faire *le Monde,* admettre que l'explosion et la destruction étaient un moyen d'y parvenir ?

Fallait-il si longtemps fermer les yeux sur la dénaturation de l'impulsion initiale qui avait tout permis, sur les égouts qui s'épanchaient, sur la déviation du courant, en un mot, sur le détournement d'âme qui était en train de se produire ? Fallait-il consentir à ravaler l'espérance contenue dans le « changer la vie » en un « changer de vie » comparable aux mirages des réclames ? Fallait-il prôner les libérations artificielles et, partant, précaires ? Fallait-il prendre le risque de décrire le parasitisme comme un droit, la drogue comme une évasion, la délinquance comme une forme admissible de la contestation, la violence stupide comme une modalité de protestation ? Fallait-il proposer à la jeunesse en quête d'une foi, l'imagerie de nouvelles crédulités ? Fallait-il enfin ne pas prévoir les conséquences, immédiates ou à terme, des illusions répandues ?

⁂

Certes, dans nos sociétés, l'absence de raison d'être autant que de finalité, une incohérence généralisée, et d'autres motifs encore, ont rendu et rendent toujours inévitable que le désordre arrive. C'est le rôle des observateurs professionnels — et donc des journalistes — de le constater et leur devoir de le prévoir et de l'annoncer. Mais ce n'est pas leur rôle d'y ajouter, du moins tant qu'ils prétendent assumer une mission d'information. Or, beaucoup de lecteurs se sont demandés pourquoi *le Monde* en 1968 — et bien davantage encore par la suite — a paru se complaire à être celui par qui le désordre arrive.

A y regarder de près — et avec du recul — on assistait sans doute alors à la première manifestation caractérisée de la dégénérescence du vieux et solide fonds chrétien qui imprégnait à l'origine le journal. Mai 1968 a permis à la crainte du péché de se métamorphoser commodément en celle de la pollution, à l'idéal de renoncement aux biens terrestres de s'assouvir à bon compte par le spectacle de leur saccage — comme on verra aussi, rue des Italiens, l'amour du prochain reporté dans l'espace, vers les lointains et, dans le temps, à une date ultérieure.

Inversement, et par une étrange confluence, au sein de la rédaction, la ferveur des non-croyants pour les thèses révolutionnaristes les plus diverses revêtait un caractère quasi religieux : mettre en doute leur credo exposait à l'anathème. Partagés en sectes toujours prêtes à se déchirer à belles dents, ils retrouvaient vite un semblant d'unité au moment de se livrer contre les impies à une sainte inquisition — avec des méthodes si mielleuses et si feutrées qu'elles faisaient penser à celles que les anticléricaux, au début du siècle, croyaient pouvoir vitupérer chez les jésuites.

Les grenouillages de sacristie des gauchistes de la rue des Italiens n'auraient eu qu'un intérêt anecdotique, s'ils n'avaient accompagné, s'ils n'avaient entraîné une altération de l'intelligence et de la sensibilité. Les cagots de l'apocalypse finiraient en effet par censurer inconsciemment les faits risquant de contredire leurs dogmes. Ce sera alors avec une espèce de bonne foi qu'ils en détourneront pudiquement les yeux à la façon de ces personnes pieuses dont le regard tombe par hasard sur un objet indécent. Ils voileront, en rougissant, les réalités qui offusqueront leur incorruptible vertu — et ils épargneront à celle des lecteurs de trébucher.

Cependant, les événements de mai 1968 eurent bien d'autres conséquences pour l'évolution du journal. Ils lui permirent d'accroître sa diffusion, de conquérir une clientèle de plus en plus nombreuse et, notamment, d'attirer quantité de jeunes lecteurs. La réussite commerciale persuadera encore davantage la nouvelle direction qu'elle était dans la voie droite. Non seulement la malédiction évangélique adressée aux scribes et aux pharisiens hypocrites l'épargnait, mais elle voyait affluer un surcroît de bénédictions matérielles. L'enrichissement bondissant accéléra la modification des « structures ». On se plut, rue des Italiens, à répéter que le journal était passé à un « nouvel âge » et qu'il était entré dans une « ère industrielle », opposée désormais à l'« ère artisanale » du passé. L'« ère industrielle » servit de justification à une baisse sensible de la qualité. A côté du solide travail « cousu main » de jadis, on vit de plus en plus souvent s'étaler des articles de confection inspirés du « prêt-à-penser » à la mode.

L' « ère industrielle » entraîna aussi un morcellement des responsabilités qui servit d'alibi aux nouveaux dirigeants pour abdiquer les leurs. Il était difficile, plaidaient-ils, de continuer de tenir ferme la barre devant une équipe rédactionnelle dont l'effectif avait doublé.

Assurément, il y avait de la cocasserie à voir incapables d'assurer leur autorité sur cent cinquante rédacteurs des hommes qui passaient leur temps à dire comment il conviendrait de s'y prendre pour en diriger des millions. De même, il y avait quelque abus à exalter chez la jeunesse la méfiance envers la « récupération » (quand on la « récupérait » si avantageusement pour gonfler le tirage), à dénoncer la médiocrité générale de la production de masse, (quand on cherchait sa propre justification dans un passage à l'« ère industrielle »).

L'atrophie du sens moral et du sens commun alla bientôt de pair avec celle du sens du ridicule. *Le Monde* se lança avec frénésie dans l'embellissement de ses locaux. Un jour, on éventrait une cloison, le lendemain, une autre, tandis que les nouveaux rédacteurs en chef et leurs adjoints s'absorbaient dans la décoration de leurs bureaux — l'un d'eux portera son choix sur un exquis boudoir rose saumon. Il y eut de graves débats sur la correspondance qui devait s'établir entre la couleur et l'épaisseur des moquettes et les fonctions des bénéficiaires. Dans le même temps, on se livra à une débauche de titres : chefs de département, chefs de rubriques se multiplièrent et obtinrent de se doter de ribambelles d'adjoints.

Conçu désormais pour moitié comme un superministère et pour l'autre moitié comme une espèce de holding, *le Monde* enfla la haute opinion qu'il avait de lui-même au point de croire qu'il ne devait plus se considérer comme un simple journal. L'information ne lui suffisait plus : il devait s'attacher à la formation ! On vit alors éclore une fantastique trouvaille : *le Monde* était une Université. Rien de moins. S'il s'était agi de dire que *le Monde* était en proie à la même confusion que les Universités, la chose, en somme, aurait pu se concevoir. Mais pas du tout : l'idée était que *le Monde* projetait le rayonnement de la pensée française (et mieux, universelle), sur tout ce qui comptait sur terre, qu'il avait la mission d'éclairer l'intelligence des générations montantes ; qu'il était une école, un enseignement, une tradition ; qu'en son sein, se retrouvaient les hommes les plus éminents de l'époque.

Cette vocation (à être à la fois une pépinière de penseurs et un club de jardiniers) eut pour corollaire une assurance infaillible : hors du *Monde,* point de salut pour les journalistes ; hors du *Monde,* point de lumière pour le public.

L'université de la rue des Italiens, néanmoins, laissa apparaître d'étranges conceptions. Une revendication s'y fit jour : les petits-maîtres réclamaient « l'autonomie des rédacteurs de base ». Autrement dit, sans examen et sans contrôle, chacun, au nom de cette autonomie-là, pourrait écrire à peu près n'importe quoi et comme il en aurait envie. Une telle conception de la liberté en matière de presse est assurément séduisante. Elle se réalise de façon somme toute assez sympathique et amusante, dans ce qu'on est convenu d'appeler la presse *underground.* Mais elle est peu compatible avec les obligations juridiques et morales des responsables d'une publication — et encore moins du respect promis et à la vérité et aux lecteurs. Il faut ajouter que le droit de regard du chef de service et du rédacteur en chef sur la copie n'est pas nécessairement synonyme de censure. Ils signifient aussi qu'en matière de presse plusieurs esprits valent toujours mieux qu'un.

L'exigence des petits-maîtres traduisait, dans son fond, une curieuse déviation de l'idéal démocratique. En son nom, on affirmait qu'un journaliste pouvait s'arroger le droit de ne pas tenir compte des objections d'autrui.

Une autre exigence, émise parallèlement, illustrait encore la naissance d'une étrange épistémologie au sein de l'université de la rue des Italiens. Elle consistait à demander que fût reconnu le « droit à l'erreur » pour les collaborateurs du journal ! S'il s'était agi de constater que chaque être humain peut se tromper, y compris les journalistes du *Monde,* la proposition n'aurait été qu'une naïveté. Mais, en fait, elle était révélatrice de la plus extravagante des prétentions. Quand un journaliste du *Monde* se tromperait, il serait indécent de lui en faire le reproche et, encore plus, de le contredire. Du droit à l'erreur, il semblait qu'on glisserait bientôt aux droits de l'erreur. Au premier chapitre de ceux-ci figurerait le droit de l'erreur à être entourée d'autant de considération que le vrai et — pourquoi pas ? — le droit du mensonge à être cru.

Il est juste de dire que la direction opposa, avec un hoquet, un *non possumus* à ces revendications par instinct de conservation. Renoncer à tout contrôle sur la copie risquait à l'évidence d'abolir l'essentiel de sa raison d'être et de conduire, à la longue, à sa disparition pure et simple. Mais comme elle s'exposait aussi à être vivement remise en cause si elle exerçait avec fermeté ses fonctions, par instinct de conservation encore, elle composa. Sans admettre formellement le « droit à l'erreur » elle laissa les plus larges droits d'écrire n'importe quoi à ceux qui s'en réclamaient. Elle estima — elle estime encore aujourd'hui — remplir sa mission en bloquant des articles qui courraient le danger d'un démenti trop éclatant ou l'exposeraient à un procès. Elle a même l'audace de s'en flatter et d'y voir une preuve de sa fidélité à la ligne traditionnelle du journal. Pour un peu, elle demanderait au public de lui savoir gré de ce à quoi elle lui permet d'échapper.

Après tout, il est peut-être dommage que soit ainsi dérobé au lecteur l'un des visages du *Monde.* Il y gagnerait peut-être de se trouver subitement démystifié et aurait de meilleures chances de se délivrer de son malaise.

CHAPITRE XIV

UN JOURNAL QUI A FAIT SON TEMPS

Le Monde a changé lorsqu'il est passé des mains d'un homme de caractère à celles d'un homme de compromis.

Il y a toujours eu chez Hubert Beuve-Méry une force intérieure, une foi plus forte que tout son scepticisme. Elle exerçait une action de rayonnement : sa volonté s'exprimait autant par le silence que par des mots et ce silence tenait en respect tout ce qui ne s'élevait pas à sa hauteur.

Au sein du *Monde,* journal antigaulliste, le parallèle entre les deux directeurs aura consacré (paradoxalement) la supériorité du personnage de style gaullien sur le politicien professionnel.

Tandis que Jacques Fauvet reproduit par osmose les façons de l'homme de cabinet, Sirius n'a pas mis d'affectation à évoquer par son comportement celui du fondateur de la Résistance et de la Vᵉ République. Une part de lui-même se tournait vers les visions élargies. Il pressentait que le prestige du chef doit s'entourer d'un certain mystère. Il n'ignorait ni les lâchetés ni les reniements dont les hommes étaient capables dès que leurs intérêts les plus mesquins entraient en jeu. Il témoignait qu'un homme n'a de grandeur que s'il est au service d'une réalité qui le dépasse : pour les uns, leur parti ; pour les autres, leur foi ; pour de Gaulle, la France ; pour lui, son journal.

La comparaison a certes des limites et de Gaulle ne le payait pas en retour de la même monnaie.

Cependant l'exemple que donna de Gaulle, dès qu'en avril 1969, il eut quitté le pouvoir, trouva encore une réplique dans l'attitude d'Hubert Beuve-Méry lorsque, au terme de la même année, il abondonna la direction du *Monde.* Le fondateur du journal se garda de tout commentaire, de toute intervention à propos de la politique de son successeur. Il le laissa se réclamer de son prestige et de son nom, mais se retira de la scène.

⁂

A mesure que le temps s'écoulait et que le contenu du journal se détérioriait, le silence d'Hubert Beuve-Méry, qui avait d'abord impressionné, dérouta ceux des anciens collaborateurs qui lui faisaient part de leurs appréhensions. Signifiait-il le consentement, ou la délectation morose ?

La réserve de l'ancien directeur du *Monde* avait sans doute d'autres motifs. Il était responsable du choix de son successeur. Pour permettre à Jacques Fauvet d'accéder au dauphinat, il avait consenti à sacrifier l'homme auquel le journal comme lui-même devaient sans doute le plus.

Robert Gauthier, rédacteur en chef-adjoint du *Monde,* par un travail mené d'arrache-pied, de l'aurore à la nuit, veilla longtemps, rue des Italiens, à l'exactitude et au sérieux des informations. Il était aussi jaloux de la réputation et de la probité du quotidien, que s'il se fût agi d'une épouse. Bourru, bougon, il mettait à les défendre et à les maintenir toutes les ressources d'une vigilance acharnée et d'une rigueur sans défaillance. Les coups de colère de cet homme dont le visage rond aurait pu respirer la placidité et la bonhomie étaient redoutés des chefs de service. Les jeunes rédacteurs qu'il mettait à la torture par ses exigences, ses reproches, ses récriminations, le maudissaient. Il leur faudrait vieillir pour apprendre à le respecter et, au fond, à l'aimer. Ils ne se souviendraient plus, alors, que des conseils apportés, des leçons données, de la méthode enseignée, de la patience et de la bonté mises à corriger et améliorer leurs articles. Ils découvriraient combien Robert Gauthier avait contribué à leur transmettre sa connaissance du métier. Elle était profonde. Ancien rédacteur du *Temps,* Robert Gauthier était en effet passé par toutes les étapes de la profession ; il n'appartenait point à cette catégorie de journalistes qui, s'enfermant au départ dans une spécialité, s'égarent aussitôt qu'ils en sortent.

Cependant, quand il s'agit de désigner un remplaçant au rédacteur en chef André Chênebenoit, qui devait partir pour la retraite, le choix d'Hubert Beuve-Méry se porta sur Jacques Fauvet, alors chef du service de politique intérieure. Ce dernier n'aurait plus alors qu'un échelon à gravir au moment où la succession du directeur du *Monde* s'ouvrirait.

Robert Gauthier, bien qu'il n'ambitionnât en aucune manière d'accéder au principat, fut douloureusement blessé par une décision qui d'emblée l'écartait de la rédaction en chef à laquelle il pouvait prétendre. L'ingratitude qui l'atteignait ne venait pas seulement de celui qu'il avait toujours appelé le « patron » : Jacques Fauvet lui devait tout, puisque c'était lui-même, Robert Gauthier, qui lui avait mis le pied à l'étrier. La solidarité qui liait les anciens prisonniers de guerre l'avait en effet amené à introduire rue des Italiens cet ancien compagnon de captivité, qui, avant 1939, appartenait à un quotidien de l'Est.

Ainsi déçu, Robert Gauthier se retira et quitta dignement le journal, en le laissant au seuil de la prospérité dont d'autres bénéficieraient. Il tâta d'une autre entreprise de presse, fut malheureux, revint épisodiquement rue des Italiens pour donner la main à des tâches secondaires et fut malheureux davantage encore : déjà des signes avant-coureurs du relâchement de la rédaction se manifestaient. Il tut son chagrin, puis mourut.

Cette mise à l'écart d'un vieux et solide serviteur est monnaie courante dans toutes les carrières et toutes les professions. Il serait vain de s'en indigner et absurde de la porter sans nuance au passif d'Hubert Beuve-Méry, lorsqu'il organisa sa succession. Si cruelle et si injuste, par certains côtés, que fut la décision qu'il prit, elle eût paru légitime si elle avait abouti à placer à la tête du quotidien un homme que l'avenir eût révélé éminent. Ce n'est qu'avec le recul qu'elle a pris la couleur d'une erreur.

Du haut des combles de la rue des Italiens, où il a gardé un secrétariat, il est arrivé au fondateur du *Monde* d'inviter de bouche à oreille quelques-uns des anciens membres de la rédaction à résister au courant qui entraînait le journal. Ces appels à la résistance sont restés discrets. Ils ne présentent pas le risque de le faire sortir de la réserve qu'il s'est imposée. Et encore moins d'être entendus : c'est un peu comme si de Gaulle avait compté sur les Vichyssois. Car c'est bien en quelque sorte une mentalité de Vichyssois qui se rencontre désormais — dans la plupart des cas — rue des Italiens.

Les éléments qui auraient été susceptibles de « résister » craignent de compromettre la situation générale du journal — et la leur — en faisant front ouvertement contre ceux qui y imposent leur loi ; ils se justifient de tolérer les abus qu'ils disent réprouver, par des considérations pratiques et tactiques ; ils invoquent les contraintes de la nécessité et les vertus de la patience ; ils tirent gloire d'empêcher quelques divagations et, prétendant que ce sont les pires, ils ferment les yeux sur les autres ; enfin, au bout du compte, ils s'accommodent des avantages d'une collaboration complice.

Le même silence a été observé du côté du Conseil de Surveillance qui réunit diverses personnalités à qui ont été remises des parts (non transmissibles et non négociables) des actions de la S.A.R.L. Elles ont en principe leur mot à dire lors de la désignation du directeur et leur présence au sein de la société est censée apporter la garantie morale que le journal ne dévie pas de son orientation initiale. Elles se sont bornées jusqu'ici à émettre quelques grognements. Et il faut bien constater qu'elles se sont abstenues de toute prise de position publique.

Passées certaines bornes, c'eût été pourtant leur devoir de mettre l'opinion en garde et d'avertir que la réputation d'objectivité du journal ne repose plus désormais que sur des faux-semblants. Du moment que la réputation d'honnêteté intellectuelle n'est plus qu'un fantôme et qu'elle est usurpée, se taire revient à cautionner une tromperie. Or, c'est bien ce qui est en cause. Car *le Monde* a parfaitement le droit de présenter et de commenter les informations comme il l'entend. Mais il a perdu le droit de se réclamer, lorsqu'il s'exprime, de valeurs supérieures qu'il a cessé de respecter. Son influence ne repose que sur la mystification.

Elle ne lui est permise qu'au prix de cacher sa nature — et tant qu'il y réussit, elle demeure énorme. Car elle s'étend bien au-delà de la mesure quantitative qu'en donne son tirage d'un demi-million d'exemplaires.

En France, d'abord. Une large fraction de la presse écrite ou audiovisuelle subit son ascendant et se croit tenue d'y puiser des références et des exemples. L'intelligentsia et les milieux dirigeants lui prodiguent les marques de déférence : sans ajouter foi à la substance du journal, ils se croient encore tenus de le lire. Perçoivent-ils par quoi et par qui, ils sont tenus — pris en main ?

A l'étranger, l'influence du *Monde* est non moins considérable. Le tiers monde francophone trouve en lui sa principale source d'information. Et auprès des pays d'Occident, il passe pour l'un des dix meilleurs titres de la terre.

Quand les hommes de la planète découvriront que ce prestige n'est que le vestige d'un brillant passé, ils s'étonneront de leur crédulité. Peut-être certains riront-ils d'eux-mêmes pour s'être prosternés devant un reliquaire vide. Peut-être quelques-uns rougiront-ils d'avoir mendié les faveurs du quotidien de la rue des Italiens, ou de s'être gargarisés en le citant du haut d'une tribune.

D'ores et déjà, le bilan de son action morale, en France, depuis quelques années, peut être dressé.

Le mal qu'il a pu causer ici ou là par des diffamations, des insinuations, compte peu auprès de celui qu'il a fait en répandant un mélange de fausses vérités et de vérités faussées — et en mettant à la mode un style de pensée où la jérémiade le dispute à la contorsion, le préjugé dogmatique à la mystique de pacotille.

En associant de façon feutrée à la notion d'opposition tout ce qui pouvait relever des explosions de violence, de la dégradation des mœurs et des institutions, de la détérioration de l'Etat, il a entretenu une lamentable confusion des esprits. Il a également hypothéqué l'avenir, en négligeant de prendre en considération les conséquences éventuelles de désordres propres à entraîner un jour ou l'autre une réaction de type soit fasciste, soit stalinien. C'est ainsi que tout en se donnant l'air de la soutenir, il a, au total, fait du mal à la gauche.

Il a fait du mal à l'intelligentsia française, qu'elle soit d'âge adulte ou qu'elle appartienne à la jeunesse, en lui donnant l'exemple de l'irresponsabilité, en l'entretenant dans la chimère, le verbalisme et la négativité, en lui servant avec complaisance des idées destinées à la flatter plutôt qu'à l'éclairer.

Il a, sur un plan plus modeste, fait du mal à la presse. Le fonctionnement de sa Société des rédacteurs, les résultats auxquels il a abouti sont de nature à jeter un grave discrédit sur une formule qui, à l'origine, était prometteuse de liberté et de réelle indépendance.

Sans doute (si grand que soit le rayonnement qu'on accorde au *Monde* ou celui dont il se flatte) il serait excessif — en fonction de l'attitude qui attribue tous les maux au rôle de la presse — de lui faire porter globalement la responsabilité de la dégradation des esprits et des formes de la vie publique.

Mais, précisément, c'est bien là ce qui donne la mesure de la partie qui a été perdue. Mené d'une autre main, aiguillonné par d'autres ambitions que celles qui sont devenues les siennes, demeuré fidèle à l'intention d'objectivité, le journal aurait conservé une meilleure chance d'échapper au climat et à l'entraînement général de l'époque. Il se fût tenu audessus de la mêlée au lieu d'y participer et de s'y embourber. Il eût éclairé les faits, tous les faits, sous tous leurs angles, et il eût ainsi beaucoup mieux aidé à les modifier, qu'en prétendant peser directement sur eux en les trafiquant. Bref il eût joué le rôle qu'on attendait de lui.

Un rôle ingrat, un rôle difficile. Un rôle qui aurait consisté à démêler les écheveaux au lieu de les embrouiller, à cerner les problèmes au lieu de prétendre leur apporter des solutions toutes faites ; à respecter les proportions et les perspectives ; à distinguer les différents niveaux où se meuvent les réalités ; à établir une hiérarchie dans leurs interférences.

Pour cela, point n'eût été besoin de prendre parti entre la droite et la gauche, entre le capital et le socialisme, entre le conservatisme et la révolution. Il eût suffi d'examiner avant de juger, de se libérer des illusions entretenues d'un côté et de l'autre, et de ne point s'enterrer sous des dogmes. Semblable attitude eût été conforme à une conception du journalisme qui en ferait une école de vie et une école de connaissance. En même temps elle eût préservé la possibilité de maintenir avec intransigeance l'affirmation de principes essentiels, faute desquels toute civilisation, toute société — et tout individu — s'expose à la catastrophe.

Un tel journal, sous Hubert Beuve-Méry, a eu l'ambition d'exister. Aujourd'hui, la possibilité en est irrémédiablement abolie. Car il serait vain d'espérer qu'un redressement du cap puisse être opéré rue des Italiens. Tartuffe soutiendra peut-être qu'il était en train de s'amender au moment où ses tartufferies sont exposées en place publique : ce ne sera qu'une tartufferie de plus. Tartuffe est, par définition, incorrigible. L'hypocrisie et le mensonge sont en lui une seconde nature.

L'évolution, sous Jacques Fauvet, du journal fondé voici trente ans par Hubert Beuve-Méry appelle, en conclusion, plusieurs constatations.

Elle convie, en premier lieu, les intellectuels de

tout bord à un sursaut pour se dégager de l'hypnose où a contribué à les plonger un quotidien dont le prestige est désormais usurpé. Ce sera le début d'une véritable « révolution culturelle ». Combattre les mensonges du *Monde* convie d'abord à combattre le mensonge. Et les mécanismes, affectifs et mentaux, par lesquels le mensonge s'introduit.

En second lieu, l'évolution du journal conduit au constat d'un vide : celui que *le Monde* laisse au sein de la presse française, où il n'existe plus, depuis qu'il a cessé d'être lui-même, d'authentique quotidien de référence.

Il ne s'agit, bien entendu, que d'un vide moral, *le Monde* connaît une vie matérielle prospère. Rien n'indique qu'elle soit menacée et que ses lecteurs égarés doivent se transformer en lecteurs perdus. Si jamais, avec les ans et leur usure, ce devait être le cas, si jamais la perte de raison d'être venait, pour lui, à entraîner la disparition de l'être, les historiens de la presse qui auraient à retracer la courbe de son destin pourraient la résumer dans une brève épitaphe : « Né de Munich. Mort de Munich ». Ce fut en effet la courageuse dénonciation des accords de Munich qui, en 1938, conduisit Hubert Beuve-Méry à rompre sa collaboration avec *le Temps* et qui le désigna aux yeux du général de Gaulle pour lui confier, en 1944, la création d'un remplaçant au quotidien tombé. C'est, au contraire, le consentement passif à toutes les concessions, à tous les Munich, qui s'est ensuite progressivement instauré au *Monde*. Et il l'a placé sur une pente qui invite à citer le mot de Henri Rochefort : « De concession en concession, on aboutit à la concession perpétuelle. »

Le parallèle avec *le Temps* disparu n'est pas fortuit. Il est même riche d'enseignement. Il révèle que pour être libre, il ne suffit pas à un organe de presse de ne pas dépendre du capital. Il faut aussi qu'il soit indépendant des idées toutes faites, des lieux communs à la mode, des réflexes conditionnés, des groupes de pression à l'intérieur de sa rédaction ce qui n'est plus le cas du *Monde.* Il ne suffit pas qu'un titre ne soit pas inféodé aux puissances d'argent, mais il faut aussi qu'il ne soit pas soumis aux seules préoccupations commerciales. Or celles-ci ont, pour une part, fait chercher au journal tirage et bénéfices au détriment des principes dont il continue de se parer.

Le Monde est un journal qui a marqué son temps. Aujourd'hui, qu'en reste-t-il ? Un journal qui a fait son temps.

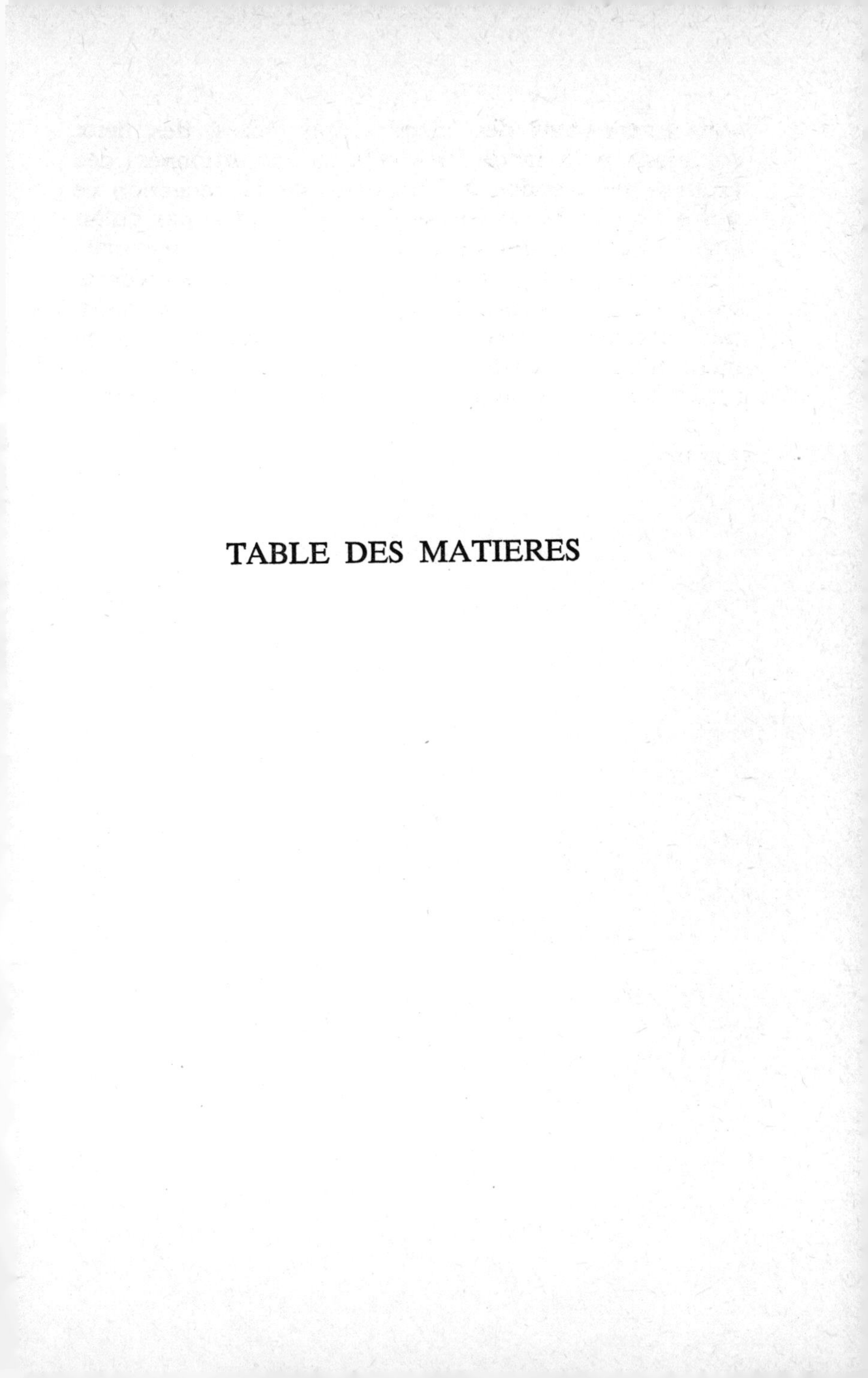

TABLE DES MATIERES

ACHEVÉ D'IMPRIMER LE
14 AVRIL 1976 SUR LES
PRESSES DE L'IMPRIMERIE
SIMPED POUR PLON, ÉDITEUR
A PARIS

Dépôt légal : 1er trimestre 1976.
Numéro d'éditeur : 10206.
Numéro d'impression : 5798.